Texto

Barcelona.

la ciudad de Gaudí

Barcelona, gran capital del Mediterráneo, ha entrado en el tercer milenio de su historia con el aspecto y la energía de una joven debutante. Situada en la costa noreste española, cerca de Francia, tiene a sus espaldas dos milenios de historia y un continuo proceso de reforma. En este sentido, los Juegos Olímpicos de 1992 propiciaron una espectacular transformación general, complementada con ocasión del Fòrum 2004,

El Eixample
La trama ortogonal diseñada por Cerdà a mitad del XIX define el urbanismo barcelonés

que permitió rematar la fachada litoral. Después, Barcelona se ha embarcado en la construcción de su distrito tecnológico, el 22@, sustituto de la trama fabril decimonónica y base de su nueva identidad productiva.

Tantas transformaciones no han mermado los atractivos tradicionales de Barcelona, como son un carácter abierto y acogedor, un clima soleado y una temperatura media de 17 grados, además de los tesoros arquitectónicos y el entorno natural. Desde sus albores, la ciudad ha sabido convivir con tales transformaciones y convertirlas en rasgo propio. Los colonos romanos fundaron Barcelona —entonces, Barcino— hace más de dos mil años, en un enclave situado entre dos ríos, el Llobregat y el Besós, protegido por la sierra de Collserola. La posición estratégica de aquel primer asentamiento y su potencial eran ya los de una gran urbe. La suavidad del clima y la abundancia de recursos naturales hicieron el resto: Barcelona se convirtió, con el paso de los años, en la capital de Catalunya. La historia de Barcelona va asociada a la de Cataluña, y ésta, a la de la lengua catalana, uno de los frutos del latín, y elemento cohesionador de la tradición, la cultura y la identidad del país. Por ello, uno de sus grandes momentos llega con la Edad Media, cuando los distintos feudos del territorio catalán se unen bajo el condado de Barcelona, a la sombra de los reyes francos. Aquella unión está en el origen de la expansión catalana por el Mediterrá-

Imagen del renovado litoral barcelonés. A la izquierda, las dos torres de Villa Olímpica. A la derecha, la sede de Gas Natural

neo, en los siglos XIII y XIV, cuyas huellas son visibles aún en Sicilia, Malta o Cerdeña, e incluso en Atenas.

Tras su nacimiento —romano— y su juventud —medieval y mediterránea—, Barcelona alcanzó su madurez y prosperidad mediado el siglo XIX, cuando acometió la revolución industrial y consolidó su posición como ciudad española de mayor sintonía europea; cuando derribó sus murallas, creció con el Eixample, rebrotó culturalmente durante la Renaixença y abrazó el Modernisme. A caballo entre el siglo XX y el XXI, espoleada por la cita olímpica, la ciudad ha experimentado otra renovación urbana, cultural y económica: Barcelona, que fue referencia catalana, mediterránea y europea, es ahora una referencia global.

Ciutat Vella

Parc de

LA RIBERA

Passeig de Gràcia

Portal de l'Àngel

Plaça
Catalunya

BARRI GOTIC

Carrer Ferran

La Rambla

EL RAVAL

La ciudad romana

La huella de la civilización romana permanece en Barcelona. Es apreciable en el carácter de los barceloneses, más dados a la negociación y al pacto, al respeto a unas normas comunmente aceptadas, que al reproche y la disputa. Y es también apreciable en sus viejas calles, en las que se superponen y combinan los sedimentos de los distintos períodos históricos, como se aprecia en la foto de la página contigua: en ella coexisten, incluso con cierta armonía, restos de la muralla y el acueducto romanos con torres medievales, una catedral de estilo gótico y construcciones de siglos recientes o de los últimos años. Barcelona, como la vieja Roma, es más partidaria de la suma que de la resta.

Barcino se fundó poco antes del inicio de la era cristiana, en tiempos del emperador Augusto. Su nombre completo era Colonia Iulia Augusta Faventia Paterna Barcino. Otras ciudades romanas en Catalunya, como Emporion, Gerunda o Tarraco, tuvieron mayor peso y proyección. De hecho, Barcino estaba integrada en la región Hispania Citerior, de la que era capital Tarraco. Pero fue Barcino, asentada en la elevación del Mons Taber, y a la que se llegaba por un ramal de la Vía Augusta, la llamada a convertirse en futura capital catalana. Su crecimiento y su progreso económico fueron desde el principio sostenidos. En el siglo IV, la ciudad se amuralló. Y cuando el Imperio Romano se desmembró, el rey visigodo Ataúlfo la convirtió, entrado el siglo V, en la capital de sus dominios, que se extendían por España y Francia.

Murallas romanas
Restos de la muralla,
de un acueducto
y de dos torres que
flanqueaban el acceso
a la ciudad romana

Barcino, la ciudad romana.

Los vestigios romanos visibles en las calles de Barcelona son hoy limitados. En lo tocante a construcciones, el más vistoso lo integran cuatro columnas corintias, con su podio y entablamento, pertenecientes al templo dedicado a Augusto en el foro de la ciudad, hoy encerradas en el patio de una finca de la calle Paradís, 10. En la plaza Nova, junto a la catedral, se conservan restos de uno de los acueductos que surtían de agua a la ciudad, y también dos torres semicirculares, parte de la muralla, que flanqueaban uno de los accesos principales a Barcino. Esta muralla de nueve metros de altura y casi cuatro de grosor, que rodeaba un recinto urbano octogonal de unas diez hectáreas de superficie, estaba reforzada con decenas de torres, en su mayoría de planta cuadrada, y es aún parcialmente visible. Fueron reforzadas en el siglo XIII y, en algunos tramos, restauradas en el XX. Desde la ya citada plaza Nova puede seguirse esta construcción, con intermitencias, por la

Murallas romanas
Inscripciones y relieves
en uno de los tramos,
todavía en pie,
de la muralla romana
barcelonesa

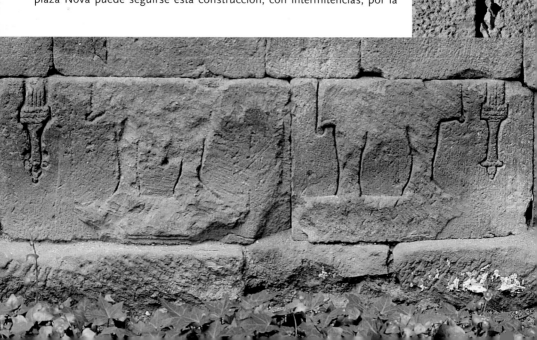

Templo de Augusto
A la derecha, las cuatro columnas corintias que se conservan del templo de Augusto

Lámpara de aceite

calle Tapinería, la plaza Ramon Berenguer y las calles Sots Tinent Navarro y Correu Vell, hasta Regomir, donde se abría la puerta opuesta a la de plaza Nova. La Barcelona actual conserva todavía parcialmente los trazados de las arterias romanas Cardo y Decumanus, que dividían en cuatro sectores Barcino. Pero, para hacerse una idea de la Barcelona romana, conviene visitar el Museu d'Història de la Ciutat, en cuyo subsuelo, bajo la plaza del Rei, puede recorrerse un yacimiento arqueológico que encierra alguna de las claves de la Barcelona romana.

**Conjunto Monumental
de la Plaza del Rei**
Restos de calles, edificios,
columnas y esculturas
son visibles en el
recorrido arqueológico
situado en el subsuelo
de la plaza del Rei

Museo de Historia de la Ciudad de Barcelona

MHCB

Integrado por varios centros, el Museo de Historia de la Ciudad de Barcelona (MHCB) tiene su sede principal en la Casa Padellàs, junto al conjunto monumental que en su día fue residencia de los reyes de Catalunya y Aragón. Además de a sus colecciones, el MHCB da acceso a un yacimiento romano subterráneo de 4.000 metros cuadrados, con restos fechados entre el siglo I a.C. y el siglo VII d.C. La entrada es válida para todos los centros del MHCB.

Plaza del Rei, s/n
Teléfono 93 315 11 11
www.museuhistoria.
bcn.cat

15

Barrio Gótico

Barcelona es un viejo árbol cuyo tronco se ha ido engrosando a lo largo de dos mil años de historia. En el corazón de ese tronco se encuentra ahora el Barrio Gótico. Las calles de esta zona, situada a la derecha de la Rambla, según se camina desde el puerto en dirección a la plaza de Catalunya, son estrechas. Debido a ello, sus edificios, con las huellas del tiempo y de la humedad grabadas en sus fachadas, están bañados por una luz ténue y dorada, que roza las calzadas pocas horas al día. Esta ciudad de una época antigua, reflejo de la pujanza catalana a lo largo y ancho del mundo mediterráneo, mantiene en pie un importante núcleo urbano, un conjunto monumental poblado por grandes edificaciones. Entre ellas, cabe destacar la catedral de la ciudad y el Palau Reial Major —símbolos, respectivamente, de los poderes religioso y terrenal—, todavía en buenas condiciones de uso. Al igual que el Palau de la Generalitat, sede del gobierno catalán, y el Ayuntamiento, sede del gobierno de la ciudad, o que la hermosa iglesia gótica del Pi o la de Sant Felip Neri... Junto a estos edificios señeros, el Barrio Gótico conserva una vitalidad secular. Una vitalidad antaño encarnada y sustentada por los diversos gremios artesanos —zapateros, sastres, caldereros, plateros, veleros, etcétera— que trabajaron y vivieron en sus calles recoletas, y que en muchas ocasiones les dieron su nombre. Una vitalidad que hoy preservan —y en ocasiones aumentan— los comercios, bares, restaurantes y hoteles instalados en sus históricos edificios, así como un constante flujo de visitantes foráneos.

**Pinturas del
Saló del Tinell**
Detalle de un fresco
del XIV, que
representa un desfile
militar de las fuerzas
catalanas

Barrio Gótico. Un recorrido básico por el Barrio Gótico puede iniciarse en la plaza Nova —amplia explanada peatonal—, frente a la catedral de Barcelona, uno de los dos grandes conjuntos monumentales de la zona. El otro es el Palau Reial Major, al que se llega tomando la calle del Bisbe y rodeando el ábside catedralicio por Pietat, en dirección a la plaza del Rei. El Palau Reial Major, que preside dicha plaza, sede del poder catalán en su esplendorosa época medieval, ha ido construyéndose, ampliándose, mutilándose o restaurándose desde las postrimerías del imperio romano. Impactan particularmente, al llegar a la plaza, la fachada del palacio y la escalinata renacentista que le da acceso. La fachada, formada por distintas secuencias de arcos que remata la torre del Rei Martí, es monumental y espectacular, y oculta el Saló del Tinell (la sala mayor), donde se dice que Cristóbal Colón trató con los Reyes Católicos acerca de su viaje a las Indias. El Palau Reial Major está rodeado, a la izquierda, por el Palau del Lloctinent, y a la derecha por la hermosa y sobria capilla de Santa Àgata.

Saló del Tinell
Los arcos diafragma de medio punto caracterizan la majestuosa arquitectura del Saló del Tinell

Muralla de la plaza Ramon Berenguer
Elementos edificados de la muralla, a la altura de Ramon Berenguer y, tras ellos, el Palau Reial y la catedral

En el cuarto lado de la plaza, junto a una moderna escultura de hierro de Eduardo Chillida cuyas formas armonizan con la arquitectura medieval, está la casa Padellàs. Y en el subsuelo de este conjunto, y acondicionado para su visita, se encuentra el yacimiento arqueológico romano al que se accede desde el Museu d'Història de la Ciutat de Barcelona, ya descrito en el capítulo anterior. Dichos restos se extienden bajo otros edificios, como el de la sede del Museu Marés, cuyo patio ofrece un remanso de paz en esta trama urbana abigarrada, similar al de la plaza de Sant Felip Neri y a los de otros rincones secretos del barrio.

A escasa distancia de la plaza del Rei se halla la plaza de Sant Jaume. En este enclave de regusto italianizante se enfrentan los dos grandes poderes afincados en Barcelona: el de la Generalitat —o gobierno autonómico catalán, cuyo Palau se yergue a un lado de la plaza— y el del Ayuntamiento —cuyo edificio se levanta al otro. El Palau de la Generalitat es una construcción cuyas primeras partes datan de principios del siglo XV. Sus ele-

mentos más destacados —el patio y la escalera principales, la fachada de la calle del Bisbe o el Pati dels Tarongers— son piezas levantadas siguiendo los modos góticos. Su fachada principal, sobre la plaza de Sant Jaume, es de estilo renacentista. El Ayuntamiento es también un edificio sometido a sucesivas transformaciones. Su elemento más característico es el Saló de Cent, donde ya se reunían los representantes ciudadanos a finales del siglo XIV, hoy usado todavía como salón noble de la corporación municipal. La plaza de Sant Jaume, flanqueada por ambas instituciones, ofrece en su espacio central un escenario para todo tipo de manifestaciones, ya sean patrióticas, protestas de diversos colectivos o celebraciones deportivas... El recorrido por el Barrio Gótico puede seguir regresando por la calle del Bisbe (y pasando bajo el puente que une la Generalitat con el domicilio de su presidente) hasta plaza Nova, para, desde allí llegar, por la calle de la Palla, hasta la iglesia del Pi y concluirlo.

Gremios en la catedral
En el recinto catedralicio se conservan relieves e inscripciones en memoria de los gremios medievales

Catedral

La catedral gótica de Barcelona empezó a construirse como tal a finales del siglo XIII y prosiguió en obras hasta seis siglos después, cuando a finales del XIX se acometió su fachada. El templo tiene tres naves con bóvedas de crucería y está flanqueado por dos airosas torres octogonales. Es recomendable visitar el claustro adosado a la catedral, donde crecen magnolios, nísperos, palmeras y naranjos. Estos elementos, sumados a los arcos, las complejas verjas de hierro forjado, la cerería parpadeante de capillas y ofrendas votivas, las ocas que allí viven, el murmullo del agua y el verdín que alfombra las losas centenarias bajo una luz tamizada crean una atmósfera singular.

Teléfono 93 15 10 05
www.catedralbcn.org

Nave central
Imagen de la nave central y el altar mayor de la catedral

Santa Eulalia
Una de las patronas de la ciudad

Claustro
Siguiendo una tradición romana, un grupo de ocas habita junto al estanque del claustro de la catedral

Calle del Bisbe
Puente de estilo gótico flamígero, pero fechado en 1928, en la calle del Bisbe

Sant Felip Neri
A la derecha, la plaza de Sant Felip Neri, un remanso apacible y recóndito cercano a la catedral

Relieves góticos
Detalle de dos relieves, situados en la calle del Bisbe y en Sant Felip Neri

Palau de la Generalitat
A la derecha, la fachada renacentista del Palau de la Generalitat, sede del gobierno autónomo catalán, situado en la plaza Sant Jaume, en el corazón de la vieja Barcelona, muy cerca de donde estuvo el de Barcino, la ciudad romana. En la imagen de la izquierda, detalle del Pati dels Tarongers, fechado en el siglo XVI, uno de los recintos característicos del Palau de la Generalitat

Retratos esculpidos
Ménsulas decorativas
que representan varios
estados, edades o
etnias, en la fachada
gótica del Palau de la
Generalitat

Sant Jordi
Figura del patrón
catalán, luchando con
el dragón, en el muro
de la Generalitat que
da a la calle del Bisbe

Ayuntamiento de Barcelona
A la izquierda, fachada neoclásica del Ayuntamiento de Barcelona, situado en la plaza Sant Jaume, frente a la sede de la Generalitat

Saló de Cent
Durante siglos rigió los destinos de Barcelona el llamado Consell de Cent, una asamblea de "ciudadanos honrados" que llevaba a cabo sus sesiones en el Saló de Cent. Esta austera y majestuosa dependencia se caracteriza por sus arcos diafragma de medio punto, y sigue siendo utilizada por el Ayuntamiento como escenario preferente de sus actos de gala

Gárgolas
Cuatro gárgolas
situadas en el edificio
del Ayuntamiento, en
su fachada a la calle
Ciutat

**Escudo en la puerta de
Sant Miquel**
Detalle escultórico
alusivo a Jaume I en la
antigua fachada gótica
municipal

Iglesia del Pi
Templo iniciado en el siglo XIV, de fachada cuadrada, gran rosetón e imponente campanario octogonal, de más de 50 metros de altura

Plaza del Pi
Imagen de uno de los tradicionales comercios situados en la plaza

Palau Moxó
Esgrafiado de la fachada

Fuente Fivaller
La Fivaller (s. XV), en la plaza Sant Just i Pastor, fue la primera fuente pública de agua corriente de la ciudad

El *Call* judío
La lápida judía de la foto inferior es uno de los vestigios de la comunidad hebraica barcelonesa, que vivió su época dorada durante la Edad Media, aposentada en el barrio del *Call*. En sus angostas vías se concentraban entre los siglos XI y XIV algunos de los principales núcleos culturales de las tierras catalanas

הקדש
ר׳ שמואל
הסרדי
נבה

Basílica de la Mercè
A la derecha, la iglesia de la Mercè, de estilo barroco y una sola nave, en la que se rinde culto a la patrona barcelonesa, cuya imagen corona la cúpula de este templo

La Ribera

Barcelona nació junto al mar. Y junto al mar conserva el antiquísimo entramado urbano de La Ribera, bullicioso y turístico. Preside este barrio la iglesia de Santa María del Mar, edificio de Berenguer de Montagut y paradigma del mejor gótico catalán, construido con rapidez y pureza de líneas a partir de la primera mitad del siglo XIV. Su interior, organizado en tres naves de gran altura, es majestuoso y elegante, tanto por la esbeltez de sus columnas como por la distancia que las separa. Santa María del Mar preside y organiza La Ribera. Recorriendo callejuelas, a partir de su fachada, se llega hasta la Llotja, de hermoso interior gótico y exterior neoclásico. En dirección contraria, partiendo del ábside de Santa María y girando a la izquierda, se emboca la calle Montcada, una sucesión de espléndidas residencias medievales, a las que se accede por altos portales aptos para caballerías y carruajes, con espaciosos patios rodeados por una escalera que conduce a la planta noble. Estos historiados caserones están hoy ocupados por museos —como el Picasso—, galerías y comercios. Nace también en el ábside de Santa María el paseo del Born, que lleva al homónimo y antiguo mercado de abastos, de poderosa estructura metálica, hoy cobijo de un yacimiento dieciochesco. Más allá del Born se halla el parque de la Ciutadella, así llamado en recuerdo de la vieja fortaleza militar cuyo solar ocupan ahora, con sus espacios verdes, sus fuentes y su estanque, el Parlament de Catalunya, diversos museos, como el de Ciencias Naturales, y el parque zoológico.

La Ribera
El templo de Santa
María del Mar
y el mercado del Born
presiden el barrio
de la Ribera

Santa María del Mar
Las estilizadas columnas octogonales, sumadas a las generosas dimensiones de su nave central, confieren a Santa María del Mar gran elegancia. En la fachada principal de Santa María del Mar, ornada con distintos elementos y materiales, destaca un rosetón de estilo flamígero, que data del siglo XV

Llotja de Mar

El salón gótico de
La Llotja de Mar,
construido a finales
del XIV como sala
de contrataciones
comerciales, fue
revestido al gusto
neoclásico en el
XVIII, y ha albergado
actividades diversas,
desde la escuela de
bellas artes hasta la
Bolsa

Museo Barbier-Müller

Patio del Museo de
arte precolombino
situado en un palacio
de la calle Montcada

Palau Dalmases

Construcción con
ornamentos barrocos
de la calle Montcada,
con su patio y su
escalera de acceso
a la planta noble

Museu Picasso

Instalado en cinco palacios interconectados de la calle Montcada, la gran arteria medieval barcelonesa, el Museu Picasso reúne la mejor colección de los años formativos del artista, así como pinturas muy destacadas de sus períodos posteriores. Los cuadros de Picasso, en los que a menudo se evidencian sucesivas revoluciones artísticas, así como las renovadas y diáfanas salas, contrastan con la atmósfera centenaria de la sede de este museo, uno de los mayores atractivos culturales de Barcelona.

c/ Montcada, 15-23
Teléfono 93 256 30 00
www.museupicasso.bcn.cat

Pablo Picasso, *Las meninas (conjunto sin Velázquez)*, 1957
© Succession Pablo Picasso, VEGAP, Madrid 2007

El Born

Partiendo del ábside de Santa Maria del Mar se llega hasta el antiguo mercado de abastos del Born, tras recorrer el paseo homónimo. La estructura metálica del Born protege actualmente un yacimiento dieciochesco, que se dotará de un centro cultural

Parque de la Ciutadella

El parque se extiende sobre los terrenos antaño ocupados por la fortaleza militar del mismo nombre. La foto superior muestra las fuentes y la cascada del parque, obra de Josep Fontserè en la que colaboró Gaudí, siendo estudiante. Debajo, detalle del mamut del parque, realizado para la Exposición Universal de 1888

Parlament de Catalunya

Fachada del edificio que alberga la sede del parlamento catalán. En primer término, *Desconsol* (desconsuelo), de Josep Llimona

Zoo de Barcelona

Desde hace un siglo, el Zoo de Barcelona está instalado sobre 13 hectáreas del Parque de la Ciutadella. Allí reúne unos 7.500 animales, pertenecientes a 400 especies. En un futuro próximo, está prevista la construcción de un zoológico de nueva planta en la zona del Fòrum

Museo de Ciencias Naturales

Situado en un impactante edificio levantado por Domènech i Montaner en el XIX, el antiguo Museo de Zoología, ahora integrado con el de Geología en el de Ciencias Naturales, cobija importantes colecciones, entre las que destacan las de vertebrados, coleópteros y moluscos

Palau de la Música Catalana

El Modernismo tiene una de sus cumbres en el Palau de la Música Catalana . Este edificio de ladrillo rojo y exhuberante ornamentación, obra de Lluís Domènech i Montaner, fue construido entre 1905 y 1908. En su interior brilla una singular y deslumbrante sala de conciertos. Concebido con plena libertad expresiva, pese a las estrecheces del solar, el Palau es un recinto polícromo, floral, mágico y acogedor, que programa cientos de conciertos anuales y ha sido recientemente ampliado.

c/ del Palau de la Música, 4-6
Teléfono 93 295 72 00
www.palaumusica.org

Claraboya
La platea del Palau de
la Música está cubierta
por una espectacular
y multicolor claraboya

Sala
La sala del Palau de
la Música constituye
por sí misma una
simfonía de artesanías
modernistas

La Rambla y El Raval

La Rambla es la calle más vital y vibrante de Barcelona. Por su paseo central, los barceloneses caminan hacia el mar, y los visitantes foráneos absorben y hacen suya la paleta de colores, olores y sonidos de la ciudad. La Rambla es el hermoso y muy transitado emblema de una ciudad abierta, en la que se mezclan culturas y etnias; muy particularmente, en el viejo barrio de El Raval, a la derecha de la Rambla (según se baja), donde museos de reciente factura se levantan al lado de la medieval Biblioteca de Catalunya o de iglesias románicas... La Rambla fue durante siglos un torrente a cielo abierto por el que Barcelona desaguaba al mar. Hoy es una vía sombreada por frondosos plátanos, que separa el Raval del Barrio Gótico. Organizada alrededor de un generoso paseo central para peatones, la Rambla es una explosión de vida, jalonada por terrazas de bares y puestos de venta de prensa, de flores o de animales de compañía. Y ocupada por vecinos, turistas, estatuas vivientes, dibujantes, poetas, pícaros o desocupados: en la Rambla convergen todos los rostros de la Humanidad... Quienes la recorran partiendo de plaza de Catalunya, verán asomarse la iglesia del Pi (a través del hueco dispuesto en un edificio de nueva planta), pisarán un mosaico creado por Joan Miró y podrán entrar en el Mercat de la Boquería. Los vitrales de su pórtico anticipan la riqueza cromática de los puestos reunidos bajo sus naves. Pasado el Liceu, se abre a la izquierda la plaza Reial, un recinto con soportales y palmeras; y, más allá, la Rambla se ensancha frente al Centre d'Art Santa Mònica y muere a los pies del monumento a Colón, junto a las aguas mediterráneas.

La Rambla
Dos típicas imágenes rambleras: paseantes sobre un mosaico de Miró y bajo los plátanos primaverales

$\rightarrow$
Estatuas vivientes, músicos, dibujantes y comercios de flores y mascotas dan ambiente a la Rambla

Mercado de Sant Josep "La Boquería"
Situado junto a la Rambla, el mercado de Sant Josep, popularmente conocido como "La Boquería", es el mejor surtido y más variado comercio de alimentos frescos de Barcelona. Está protegido por una gran estructura metálica, y ofrece sus tesoros gastronómicos en una atmósfera umbrosa y fresca, de especial viveza y colorido

Gran Teatre del Liceu

La ópera tiene su casa barcelonesa en el Gran Teatre del Liceu, que se alza en la Rambla desde 1847. El Liceu ha alimentado desde entonces la afición operística de Barcelona, antaño apasionadamente dividida entre wagnerianos y verdianos. Este coliseo ha sufrido dos incendios: uno en 1861, y otro en 1994; este último destruyó por completo el teatro, reconstruido, ampliado y reinaugurado en 1999. En la actualidad programa unas 125 funciones anuales y cuenta con más de 20.000 abonados.

La Rambla, 51-59
Teléfono 93 485 99 00
www.liceubarcelona.com

Sant Pau del Camp
Templo de origen
milenario, cuya
construcción actual se
remonta al siglo XII

**Biblioteca
de Catalunya**
Una de las salas
góticas de la Biblioteca
de Catalunya, en el
viejo hospital de la
Santa Creu

El Raval
El esponjamiento del
Raval ha permitido la
reciente apertura de
una espaciosa Rambla.
En este barrio
conviven tradicionales
comercios con otros
que reflejan su
presente diversidad
étnica y cultural

Centro de Cultura Contemporánea de Barcelona

El Centro de Cultura Contemporánea de Barcelona (CCCB) nació en 1994 como una institución cultural innovadora, multidisciplinar, en la que las ciudades, las varias expresiones de la convivencia urbana, iban a tener un papel protagonista. Esa idea de convivencia se manifiesta ya en la sede del CCCB, donde se combinan instalaciones de la vieja Casa de la Caritat con un impresionante cubo de cristal debido a Viaplana/Piñón. Y luego se materializa en un amplio programa de exposiciones de producción propia.

c/ Montalegre, 5
Teléfono 93 306 41 00
www.cccb.cat

Museo de Arte Contemporáneo de Barcelona

El arte de nuestros días tiene su sede en el MACBA, una mole blanca y luminosa, diseñada por el arquitecto norteamericano Richard Meier en el corazón del barrio de El Raval. Este centro museístico, que se relaciona con la animada plaza dels Àngels mediante un inmenso atrio acristalado, equipado con rampas que conducen a las distintas plantas, posee su propia colección de arte, que confronta regularmente con las creaciones de autores extranjeros contemporáneos.

Plaza dels Àngels, 1
Teléfono 93 412 08 10
www.macba.es

Plaza Reial
Caracterizada por sus soportales y sus palmeras, la plaza Reial reúne junto a la Rambla diversos establecimientos de hostelería, así como escenarios de música y danza, entre ellos *Los Tarantos* (flamenco) y *Jamboree* (jazz)

**Rambla
de Santa Mònica**
En la página contigua,
cuatro detalles
del tramo inferior
de la Rambla: el
monumento al escritor
Pitarra, el Centre d'Art
Santa Mònica, un
comercio de sabor
decimonónico
y uno de los leones
que flanquean el
monumento a
Cristóbal Colón

**Monumento
a Colón**
A 50 metros del
suelo, sobre una
columna equipada con
ascensor y mirador,
el descubridor de
América señala el
nuevo continente y
marca la llegada de la
Rambla al mar

El puerto y el litoral

Cristóbal Colón, a 50 metros del suelo, desde lo alto de uno de los monumentos más conocidos de Barcelona, señala permanentemente el mar con su dedo índice. Colón personifica, en este sentido, la deuda de agradecimiento que Barcelona ha contraído con el mar, por el que llegaron algunos fundadores de Barcino y por el que sus descendientes viajaron para relacionarse con el mundo. A los pies de Colón se despliega el Moll de la Fusta, que da paso al Port Vell. Lo que antaño fue una sucesión de muelles ocupados por pescadores, estibadores y marineros, a los que se amarraban botes de pesca y cargueros, es hoy una zona dedicada al esparcimiento donde, junto a los pantalanes del puerto deportivo, del Club Náutico y del Marítimo, se ha instalado el World Trade Center, un enorme complejo de oficinas, y, en su zona central, el Maremàgnum. Es ésta una pequeña ciudad de ocio construida sobre las aguas portuarias y unida a tierra mediante una sinuosa pasarela levadiza, auténtica prolongación flotante de la Rambla. Restaurantes, bares, cines Imax y un enorme acuario, en el que residen especies de todos los mares, completan la oferta de esta frecuentadísima área, en la que los ciudadanos renuevan su relación con el mar. Y en la que pueden abordarse las "golondrinas", típicas embarcaciones de recreo que surcan las aguas del puerto; o sobrevolar esta lámina azul a bordo de las vagonetas del teleférico, que enlazan el barrio de la Barceloneta con la montaña de Montjuïc.

Port Vell
La zona central del puerto barcelonés, con su lámina de agua y, a la izquierda, su área deportiva

L'Aquàrium
Especies de todos los mares conviven en el acuario de Barcelona, situado en el puerto

Port Vell

11

14 **13**

12

15

BARCELONETA

10

7

Moll de la Fusta

8

9

5

6

1

2

La Rambla

6

3

4

El Port Vell. Barcelona es una ciudad portuaria que ha sabido convertir su puerto en un espacio de relación y de ocio, sin renunciar por ello a las funciones tradicionales que se desarrollan a la orilla del mar. Un paseo por el litoral barcelonés, cuya parte central ocupa el Port Vell, permite comprobar que los vinculos entre el Mediterráneo y la ciudad abarcan en la actualidad las más diversas actividades. De sur a norte, se halla primero el gran puerto comercial, con sus silos y sus almacenes, con sus montañas de contenedores, que proveen o liberan de mercancías a los buques cargueros. Protege este puerto una larga escollera, último abrigo de la ciudad frente al mar y escenario predilecto de los pescadores de caña, los corredores de fondo, los ciclistas y los enamorados. Es en la dársena que cierra esta escollera donde atracan los grandes buques de crucero, que han hecho de Barcelona una de sus más apreciadas escalas mediterráneas, y donde se han construido, para dar acogida al turismo procedente del mar,

diversas estaciones. Más próxima a Colón está la estación marítima de las líneas regulares que enlazan Barcelona con los destinos de las islas Baleares: Mallorca, Menorca e Ibiza.

Más allá del Port Vell, del World Trade Center y del Maremagnum, el paseante encontrará la Barceloneta, un barrio de pescadores de estrechas calles en las que se respira el aliento del mar, donde abundan los restaurantes especializados en paellas, pescados y marisco. Y, junto a la Barceloneta, y ocupando unos grandes y antiguos almacenes de mercancías, se erige el Museo de Historia de Cataluña. Toda la Barceloneta vive abocada al mar y a la playa, que suma hasta cuatro kilómetros de longitud entre la escollera del puerto comercial y la zona del Fòrum. Tan sólo se interrumpe brevemente esta sucesión de playas al llegar a Villa Olímpica, debido a su propio puerto deportivo, que surte de veleros las aguas situadas ante la ciudad. Pero sigue de inmediato, a lo largo de este barrio de reciente

El Port Vell desde el mar, con la estación marítima, el World Trade Center y los muelles deportivos y de pesca

construcción, la nueva fachada marítima de Barcelona, levantada para albergar a los atletas que participaron en los Juegos de 1992, y hoy convertida en uno de los elementos más dinámicos de la ciudad, caracterizado formalmente por sus construcciones de ladrillo visto que evocan la antigua condición industrial de esta parte de Barcelona. Y sigue también la cinta de playa, ocupada en todas las estaciones del año por ciudadanos ávidos de sol, hasta alcanzar la zona del Fòrum, escenario del gran encuentro internacional organizado por Barcelona en 2004 en pro del diálogo, la paz y la sostenibilidad.

Rambla de Mar
Esta pasarela flotante
prolonga brevemente
la Rambla hasta el área
de Maremagnum

World Trade Center
Este edificio de
oficinas, situado sobre
las aguas del puerto,
da nuevo carácter
a la fachada marítima
barcelonesa

Museo Marítimo

Las Reials Drassanes, sede del Museo Marítimo, son unos enormes astilleros cuyas primeras instalaciones, levantadas en el siglo XIV, permitían construir simultáneamente treinta galeras. El edificio está formado por una agregación de sobrias naves de piedra, que constituye uno de las cimas de la arquitectura gótica civil, perfectamente preservada. En su interior, se exhiben embarcaciones de distintas épocas, como la galera de don Juan de Austria. El Museo Marítimo, está abierto todos los días de 10 a 20 h.

Avda. Drassanes, s/n
Teléfono 93 342 99 20
www.museumaritimbar
celona.cat

Moll de la Fusta
Festiva escultura de
Mariscal, *Cigala*, junto
a las aguas del puerto

Torre del reloj
Esta construcción
preside los muelles de
pesca de Barcelona

Aéreo de Montjuïc
Este transporte
sobrevuela las aguas
del puerto

Cabeza de Barcelona
Escultura de Roy
Lichtenstein frente al
Port Vell

Cine Imax
La oferta de recreo
de Maremagnum
tiene aquí uno de sus
atractivos

Una "golondrina"

Museo de Historia de Cataluña

Ubicado en el Palau del Mar, el Museo de Historia de Cataluña (MHC) fue fundado en 1996 para exponer y difundir la historia catalana, con el objetivo específico de fortalecer la identificación nacional. Su exposición permanente, que se complementa con otras temporales, recorre el devenir catalán, desde el Paleolítico hasta la recuperación de las libertades democráticas y las instituciones autonómicas, en el último cuarto del siglo XX. Este centro está abierto todos los días.

Plaza Pau Vila, 3
Teléfono 93 225 47 00
www.mhcat.net

Barceloneta

Antiguo barrio
de pescadores,
de ambiente muy
popular. Su playa, en
la que se levanta una
espectacular obra
de Rebecca Horn,
L'estel ferit (La estrella
herida),es una de
las más concurridas
de Barcelona.
Los numerosos
restaurantes de esta
zona de la ciudad
están especializados
en arroces, pescados
y mariscos

Playas

La relación de Barcelona con el mar ha crecido exponencialmente a raíz de las distintas reformas urbanas emprendidas con vistas a los Juegos Olímpicos. El frente marítimo barcelonés es una larga playa sólo interrumpida por el puerto deportivo de la Villa Olímpica. Los barceloneses disfrutan del sol y del mar de sus playas en todas las estaciones del año.

La ciudad de Gaudí

La imagen de Barcelona está asociada a la del arquitecto Antoni Gaudí (Reus, 1852-Barcelona, 1926): conocer su obra es el primer objetivo de muchos visitantes de la ciudad. La arquitectura figura entre los principales atractivos de Barcelona, donde se conservan restos de la urbe romana y un Barrio Gótico en buen estado de uso; donde brillan los esplendores del Modernismo y donde en las últimas décadas han construido —y siguen construyendo— algunos de los más renombrados arquitectos del mundo. Pero si hubiera que elegir un único nombre como emblema de la singularidad arquitectónica barcelonesa, ese nombre sería, sin duda, el de Gaudí. Las grandes obras de este genio de inspiración naturalista y desbordante imaginación —bajo las que se esconden innovadoras soluciones estructurales— están concentradas en Barcelona; en buena medida, gracias al mecenazgo del industrial Eusebi Güell, asiduo cliente del arquitecto. Desde espectaculares edificios de viviendas como la Casa Batlló o La Pedrera hasta templos como la Sagrada Familia, pasando por el Park Güell, las obras mayores de Gaudí se suceden en Barcelona. Y no son las únicas. Junto a los citados edificios, la ciudad alberga otras muestras del talento de Gaudí, como son la Casa Vicens, los Pabellones de la finca Güell, el Palau Güell, la Casa Calvet, el Colegio de las Teresianas o la Torre Bellesguard. Y, muy cerca de Barcelona, el recorrido gaudiniano puede cerrarse con una visita, en Santa Coloma de Cervelló, a la sensacional y muy expresiva cripta de la Colonia Güell, terminada en 1915.

La Pedrera
En el corazón del Eixample se levanta esta obra capital de Gaudí

Trencadís
Voz catalana que da nombre al collage cerámico, frecuente en la obra de Gaudí

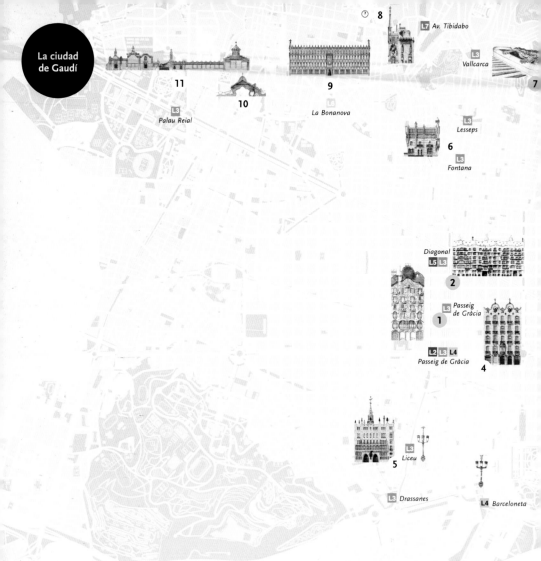

La ciudad de Gaudí

11

10

L3 Palau Reial

9

La Bonanova

8

L7 Av. Tibidabo

L3 Vallcarca

7

6

L3 Lesseps

Fontana **L3**

Diagonal

L5 **L3**

2

1

L3 Passeig de Gràcia

L2 **L3** **L4**

Passeig de Gràcia

4

5

Liceu **L3**

Drassanes **L3**

L4 Barceloneta

L2 L5
Sagrada
Família

Casa Batlló. La Casa Batlló tiene su origen en la completa reforma de un edificio preexistente. Gaudí recibió el encargo de remodelar esta casa del Paseo de Gràcia, 43, y lo hizo a conciencia. Añadió dos pisos, reconstruyó la planta principal y mudó por completo la epidermis de la finca, logrando una arquitectura colorista, personal, emancipada ya de referentes historicistas. Las líneas curvas dominan la fachada, adornada con elementos de formas orgánicas —que remiten a huesos, vegetales, saurios...— o artificiales —máscaras—, y con una textura que recuerda brocados y pedrerías. El tejado evoca la piel escamada de un dragón, y está rematado por una cruz bulbosa y varias chimeneas. El patio de luces, con su acuoso degradado cromático, del azul al blanco, permite un mejor aprovechamiento lumínico. Y en los interiores se imponen las formas redondeadas, en sintonía modernista.

Portería de la Casa Batlló con sus características formas curvas y revestimientos cerámicos

Casa Batlló

La Casa Batlló abre sus
puertas a los visitantes
todos los días de la
semana, en un horario
comprendido entre
las 9 y las 20 horas y
propone un recorrido
por la planta principal,
el desván y la terraza.
La Casa Batlló ofrece,
en regimen de alquiler,
para reuniones
profesionales o
celebraciones
privadas, distintos
salones. Dispone,
además, de tienda.

Paseo de Gràcia, 43
Teléfono 93 216 03 06
www.casabatllo.cat

Patio de luces
El degradado
cromático permite
un máximo
aprovechamiento
de la luz natural

Cubierta
La cubierta de la
Casa Batlló evoca
la piel escamada de
un gran saurio

Escalera
El gesto modernista define la escalera de acceso a la planta noble

Hogar
El hogar ofrece un rincón acogedor, con dos bancos junto al fuego

Galería
Sinuosas formas de piedra y cristales de colores en la galería

Fachada
Detalles de la ornamentación cerámica y de cristal de la fachada

Mansarda
Los arcos parabólicos sostienen la estructura de la mansarda

La Pedrera. En el número 92 de Paseo de Gràcia, se alza la Casa Milà, conocida también como La Pedrera. Este edificio de viviendas (hoy propiedad de Fundación Caixa Catalunya y sede de exposiciones) posee tres fachadas. Todas ellas integran en realidad una sola, definida por sus líneas onduladas, que evocan un improbable oleaje de piedra, salpicado por las retorcidas barandillas metálicas de los balcones. Los accesos del edificio muestran ahora de nuevo sus frescos originales, de gran colorido. Buena parte de los pisos han recuperado su aspecto inicial, con las carpinterías modernistas y los a menudo misteriosos dibujos y relieves trazados sobre los techos de yeso, como signos sobre la arena de un desierto. La azotea —sorpresa mayor de La Pedrera— reune sobre su superficie variable un bosque de chimeneas escultóricas, que esconden escaleras y depósitos de agua.

La Pedrera

El recorrido por La Pedrera incluye la visita al Espai Gaudí, a la azotea y a un piso que reproduce la decoración original. El edificio está abierto todos los días, de marzo a octubre entre las 9 y las 20 horas, y de noviembre a febrero entre las 9 y las 18,30 horas. Dispone de tienda-librería.

Paseo de Gràcia, 92
Teléfono 902 40 09 73
www.fundaciocaixacata
lunya.org

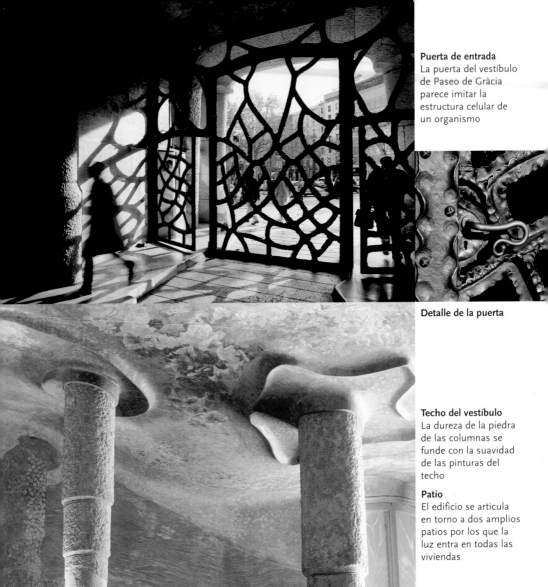

Puerta de entrada
La puerta del vestíbulo de Paseo de Gràcia parece imitar la estructura celular de un organismo

Detalle de la puerta

Techo del vestíbulo
La dureza de la piedra de las columnas se funde con la suavidad de las pinturas del techo

Patio
El edificio se articula en torno a dos amplios patios por los que la luz entra en todas las viviendas

Espai Gaudí. Las mansardas de La Pedrera evocan, con su sucesión de 270 arcos catenarios de ladrillo, el interior de un gigantesco cetáceo. En su día albergaron los lavaderos y los tendederos de la finca, al tiempo que ofrecían al conjunto del edificio aislamiento térmico. Hoy son sede del Espai Gaudí. Este ámbito museístico, con una superficie total de 800 metros cuadrados, ha sido creado para documentar y explicar, mediante audiovisuales, maquetas y analogías naturales, la obra gaudiniana, tanto en lo referente a sus espectaculares acabados como en lo tocante a sus ocultas e innovadoras estructuras. Completamente renovado a finales de 2006, el Espai Gaudí resume todas las claves de la arquitectura del genio de Reus, en un discurso revelador, de alto contenido didáctico.

Distintas vistas de las mansardas de La Pedrera, con sus arcos de ladrillo, donde está instalado el Espai Gaudí

Templo de la Sagrada Familia.

El Templo Expiatorio de la Sagrada Familia (en la plaza Sagrada Familia) destaca por sus dimensiones y su ambición. Esta iglesia, que ocupa toda una manzana del Eixample, es una mole de piedra profusamente trabajada, de dimensiones catedralicias. Alzada sobre una planta de cruz latina, con cinco naves, se caracteriza por sus estilizadas torres (de un centenar de metros de altura), coronadas por pináculos revestidos de cerámica. Dichas torres aportan un rasgo espectacular que, sin embargo, no es el mayor proyectado por Gaudí: entre las partes todavía no construidas destaca un monumental cimborrio de 170 metros de altura, llamado a convertirse en el más prominente elemento del conjunto arquitectónico. Las obras de la Sagrada Familia, iniciadas en el siglo XIX, a las que Gaudí dedicó 40 años, y todavía en curso, podrían terminarse hacia el 2025.

Fachada de la Pasión

Templo de la Sagrada Familia

La Sagrada Familia puede visitarse todos los días, de 9 a 20 horas entre abril y septiembre, y de 9 a 18 horas entre octubre y marzo. El billete de entrada da acceso a las distintas partes del templo (incluyendo la cripta o las escuelas, también a las exposiciones...), aunque, debido a las obras, pueda restringirse la visita a determinadas áreas. En las fachadas de la Natividad y la Pasión hay ascensores que permiten subir hasta 65 metros y contemplar una vista de conjunto.

Plaza de la Sagrada Familia Teléfono 932073031 www.sagradafamilia.org

Fachada del Nacimiento
El abigarrado conjunto escultórico de la fachada del Nacimiento presenta gran cantidad de figuras humanas y animales

Torres
Las torres de la Sagrada Familia, rematadas por pináculos cerámicos, contienen empinadas escaleras de caracol

Fachada de la Gloria
Imagen de las obras
en curso en la fachada
de la Gloria, que será
la principal del templo.
Al fondo, las torres
actuales

Bosque de columnas
La nave central de la
Sagrada Familia cuenta
con un bosque de
columnas, de formas
arbóreas, ramificadas
en su tramo superior

Park Güell.

El Park Güell, una inconclusa ciudad-jardín de 20 hectáreas, está situado más allá del Eixample, sede de la mayoría de las edificaciones de Gaudí, pero su visita es ineludible. Desde la entrada al parque (por la calle Olot, s/n), se divisa la monumental escalinata de acceso, presidida por un saurio de cerámica. Tras la escalinata se levanta la sala hipóstila —un bosque de columnas— y, encima de ella, la gran plaza del Park Güell, mirador privilegiado sobre Barcelona, rodeado perimetralmente por su célebre banco sinuoso, recubierto de restos de azulejos, vajillas o botellas, que integran un collage colorista y dinámico. Otros elementos de interés del parque son las galerías porticadas con columnas inclinadas, las pocas residencias que llegaron a construirse y los varios caminos de ronda.

Dragón
Un saurio multicolor, recubierto de fragmentos cerámicos, da la bienvenida al visitante del Park Güell

Centre d'Interpretació del Park Güell

Junto a la entrada del Park Güell, en el llamado pabellón de conserjería, se ha habilitado el Centre d'Interpretació del Park Güell. Este punto de información y recepción de visitantes documenta, mediante planos, maquetas, fotos y audiovisuales, los sistemas constructivos de Gaudí, así como las principales características del parque, y propone las rutas de visita más convenientes. Está abierto todos los días, entre las 11 y las 15 h.

C/ Olot, s/n
Teléfono 93 319 02 22
www.museuhistoria.
bcn.cat

Sala Hipóstila
Las 86 columnas
dóricas de la Sala
Hipóstila entregan a
un techo provisto de
singular revestimiento
cerámico

Banco ondulado
Con la colaboración de
Josep M. Jujol, Gaudí
realizó en el Park Güell
un espléndido banco
cubierto de un collage
cerámico

Viaducto
Imagen de uno de los tramos superiores del viaducto, realizado con materiales propios del terreno

Silla
Uno de los muebles diseñados por Gaudí, varios de los cuales se conservan en la Casa-Museu Gaudí

Calvario
En la zona alta del Park Güell, tres cruces aluden a la crucifixión de Cristo en el Monte Calvario

Casa-Museu Gaudí

Gaudí residió veinte años en una de las casas construidas en el Park Güell. Este edificio alberga, desde 1963, la Casa-Museu Gaudí, donde se exhiben diversas piezas de mobiliario gaudiniano, y se recrea la atmósfera en la que vivió el arquitecto.

Park Güell
Teléfono 93 219 38 11
www.sagradafamilia.org

Casa Vicens.

La Casa Vicens (C/ Carolines, 22) es la primera obra considerable de Gaudí en Barcelona: una vivienda unifamiliar con sótano, planta baja y dos pisos, de estilo neomudéjar. El ladrillo y la cerámica son los elementos definitorios de este edificio, no en balde fue construido (1883-1888) por encargo del fabricante de cerámicas Manuel Vicens. Los ajedrezados verdes y blancos, también las losetas con motivos florales, definen la fachada de la Casa Vicens, junto a los revestimientos de piedra y unas verjas de hierro muy trabajadas, donde se reproducen hojas de palmito y otras figuras de inspiración natural. En su interior, no abierto al público, la Casa Vicens exhibe una decoración tupida, donde se combinan la cerámica, la madera, el cristal y el yeso, en ambientes de acento árabe o japonés. El jardín que rodea la casa ha sufrido diversas mutilaciones.

Reja de palmito
La ornamentación de la Casa Vicens es compleja, tanto la metálica como la cerámica

Pabellones Güell.

No hay en Barcelona una puerta más espectacular que la de los Pabellones Güell (Av. de Pedralbes, 7): un trabajo de forja, diseñado por Gaudí, que representa un dragón temible, de gran poder disuasorio, potenciado en origen por una viva policromía y un mecanismo que le daba movimiento. Este dragón guarda los pabellones de portería y las caballerizas de la gran finca que poseía, donde hoy termina la Diagonal, Eusebi Güell, mecenas del arquitecto. La primera colaboración entre ambos se dio aquí. Los pabellones, coetáneos de la Casa Vicens, son de estilo neomudéjar. Las caballerizas, con sus arcos parabólicos, albergan ahora la Real Cátedra Gaudí. Ambos elementos formaron parte de una finca, posteriormente arrasada para levantar el Palacio Real de Barcelona, en cuya rehabilitación intervino Gaudí. Los jardines que rodean los Pabellones Güell recrean el mito del Jardín de las Hespérides.

Naranjo
Un naranjo corona la columna del acceso a los Pabellones Güell, que evocan el Jardín de las Hespérides

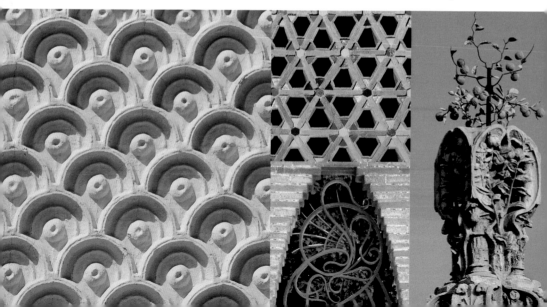

Palau Güell. En la calle Nou de la Rambla, 3-5, se levanta el Palau Güell, la opulenta residencia familiar que Gaudí construyó para Eusebi Güell entre 1886 y 1888. La riqueza de este edificio se anuncia ya en su fachada, definida por dos puertas para carruajes, con elaboradas verjas de hierro, entre las cuales se sitúa un escudo catalán, igualmente trabajado. Pero es en su interior donde el Palau Güell exhibe toda la riqueza que su propietario reclamó a Gaudí. Empezando por las caballerizas subterráneas, a las que gruesas columnas de ladrillo otorgan un aire monumental, todo en este Palau es majestuoso. Y, en especial, la simétrica sala central cubierta con una cúpula parabólica perforada para dar luz natural y una calidad celeste al conjunto. Las azoteas del edificio reúnen una veintena de chimeneas con decoración cerámica.

Chimeneas
Los sombreretes de inspiración vegetal, ricamente policromados, definen estas chimeneas

Casa Calvet.

En la Casa Calvet (C/ Casp, 48), Gaudí se enfrentó al reto de construir la típica finca del Eixample barcelonés: un edificio entre medianeras, con sótano, bajos destinados a un negocio textil, piso principal para los propietarios y tres plantas más para viviendas de alquiler. Aunque la piedra gris de Montjuïc de la fachada es habitual en esta zona ciudadana, y pese a su relativa discreción de regusto barroco —tanto en la sinuosa cornisa como en los balcones (que prefiguran los de la posterior Casa Batlló)—, la Casa Calvet contiene excelentes pruebas de la inventiva gaudiniana. Entre ellas, los pomos, picaportes y mirillas, en ocasiones de inspiración orgánica y resultados próximos a los de la mejor orfebrería. Gaudí diseñó también los muebles del negocio de la planta baja —hoy habilitada como restaurante— y del principal; algunos siguen en la finca; otros se exhiben en museos.

Mirilla
Las formas orgánicas y el tratamiento de los metales convierten esta mirilla en algo parecido a una pieza de orfebrería

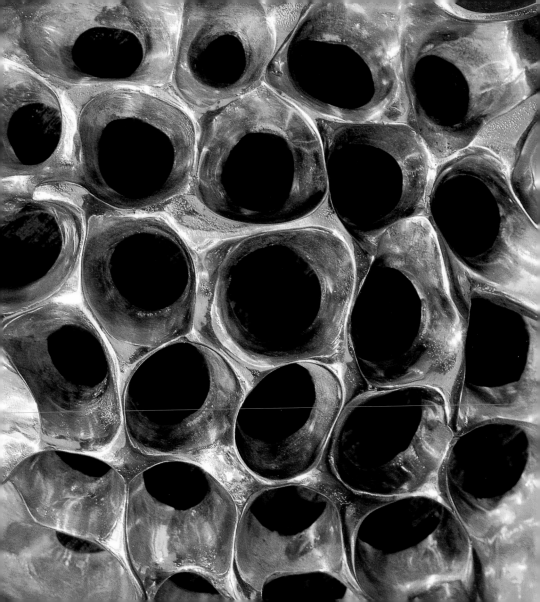

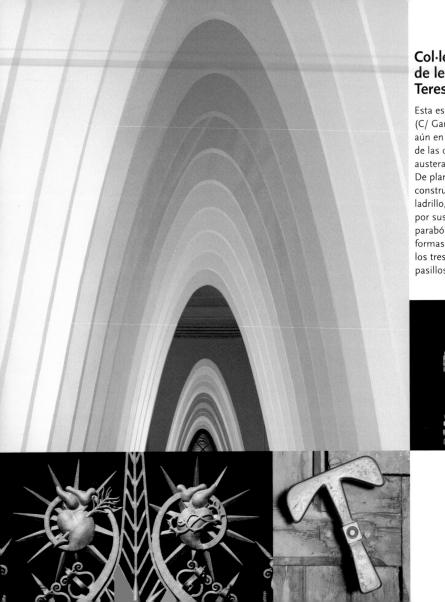

Col·legi de les Teresianes

Esta escuela religiosa (C/ Ganduxer, 85), aún en activo, es una de las obras más austeras de Gaudí. De planta rectangular, construida con ladrillo, se distingue por sus ventanas parabólicas, cuyas formas se repiten en los tres luminosos pasillos interiores.

Torre de Bellesguard

Una arquitectura de ecos góticos, estilizados, define esta residencia de la zona alta de Barcelona (C/ Bellesguard, 16), levantada a inicios del siglo XX sobre los restos de un palacio del rey Martín el Humano, y dotada de una torre de aguja rematada con cruz de seis brazos.

Cripta de la Colonia Güell.

En la colonia obrera Güell de Santa Coloma de Cerelló, a una veintena de kilómetros al sudoeste de Barcelona, se encuentra una de las obras más expresivas de Gaudí: la cripta de la iglesia de la colonia, la única parte de dicho templo que llegó a construirse. Este edificio, donde la combinación de materiales, la inclinación de las columnas y una caprichosa morfología sugieren un aire artesanal, irregular e incluso inestable, se basa en un riguroso e innovador trabajo estructural de Gaudí. El arquitecto estudió al detalle las cargas que debían soportar columnas y arcos, desarrollando maquetas hechas con cordeles y plomos, en un proceso que se prolongó durante un decenio y en el que jugó un papel importante la fotografía. El resultado es una obra singular, en la que se armonizan el ladrillo, la piedra basáltica, la cerámica, el hierro, los vitrales y el mobiliario gaudiniano.

Columnas
La diversidad formal y el dinamismo definen las columnas que sostienen la cripta de la Colonia Güell

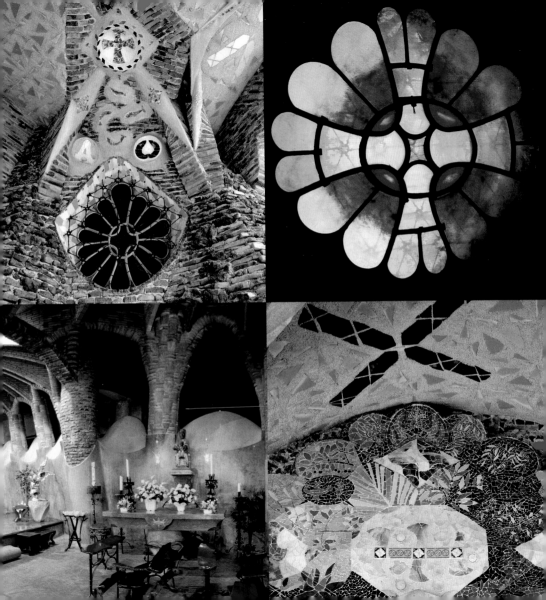

El Eixample y el Modernismo

El Eixample, un barrio al tiempo residencial y de servicios, es la zona central de la Barcelona moderna. Hasta mediados del siglo XIX, Barcelona fue una ciudad encorsetada por sus murallas. Pero en 1856 el ingeniero Ildefons Cerdà presentó su proyecto para el ensanche de la ciudad, un plan visionario que iba a adecuar la estructura de la ciudad a sus necesidades del momento y, también, a las futuras. A grandes rasgos, el Eixample puede definirse como un proyecto de crecimiento de Barcelona y de conexión con pequeños municipios colindantes, en busca de unas condiciones de circulación, salubridad y, en especial, densidad de ocupación que revolucionaron por completo los estándares de la época; y que ahora, llegados al siglo XXI, siguen resultando operativos.

El Eixample es el traje de la Barcelona moderna y constituye como tal un producto exquisito del *seny* catalán —el aspecto equilibrado y juicioso del carácter local. Tales hechuras fueron complementadas adecuadamente por el Modernismo, que se encargó de iluminar con exuberantes telas y colores —en este caso piedras, cerámicas, hierros y cristales— la nueva vestimenta ciudadana. El Modernismo sería, en este sentido, un fruto de la *rauxa* catalana —el aspecto desorbitado e imprevisible del carácter local— que actúa como contrapunto equilibrador del ya citado *seny*. Y, al tiempo, fue la aportación barcelonesa a un momento de particular esplendor en la arquitectura europea a caballo entre los siglos XIX y XX, que se desarrolló con parecido ímpetu y distintos matices en ciudades como París, Londres, Viena o Munich, entre otras.

Manzana
La manzana de
La Pedrera, en Paseo
de Gràcia, es una de
las típicas islas de
viviendas del Eixample

Losetas
Las aceras del Eixample
están pavimentadas
con losetas cuadradas
de motivo geométrico
y floral

El Eixample

EL CLOT

10

9

GRÀCIA

Avinguda Diagonal

6

7

5

8

Passeig de Gràcia

3 **2** **1**

4

Carrer Aragó

POBLENOU

CIUTAT VELLA

Gran Via de les Corts Catalanes

Plaça de Catalunya

El Eixample y el Modernisme.
Sobre planta, el Eixample es una retícula ortogonal, tan sólo alterada por sus arterias principales: el señorial paseo de Gràcia (por donde a principios del siglo XX ya paseaban los barceloneses, para ver y dejarse ver), la calle Aragó y la Gran Via de les Corts Catalanes (que la cruzan longitudinalmente), la avenida Diagonal (que la atraviesa oblicuamente) y alguna que otra plaza de grandes dimensiones, como la de Catalunya.

Pero el alzado del Eixample es otra cosa. Cuando se levantaron la mayoría de sus edificios, Catalunya vivía un dulce momento económico, cimentado desde principios del XIX, época en la que Barcelona fue perfilándose como motor económico de España, lubricado con la revolución industrial y puesto a punto con la febril actividad de los dos primeros decenios del siglo pasado, cuando las factorías catalanas se convirtieron en proveedoras principales de las naciones europeas en guerra.

Esta bonanza económica, junto a movimientos culturales de afirmación

Plaza de Catalunya
Con su explanada, fuentes y estatuas, relaciona el Eixample con la parte vieja de la ciudad

Paseo de Gràcia
Gran arteria ciudadana, que comunica la plaza de Catalunya con la antigua villa de Gràcia

Maternidad, de Vicenç Navarro

nacional como la *Renaixença* y junto al resurgir de las artes aplicadas, vinieron a coincidir con la eclosión del Modernisme y a sustanciarlo.

Barcelona es la ciudad de Gaudí, figura genial e inclasificable que coincidió en el tiempo con el Modernismo. Pero Barcelona es también la ciudad de éste movimiento arquitectónico —del Modernismo—, que debe ser considerado como la libre convivencia de decenas de arquitectos, cientos de promotores y miles de artesanos. Esta confluencia de genio, voluntad y talento halla quizás su plasmación más exuberante en el Palau de la Música Catalana, obra de Domènech i Montaner, una de las más bellas y deslumbrantes salas de conciertos del mundo, de la que ya se habló en un capítulo anterior. Pero es sin duda en el Eixample donde se da una mayor concentración de arquitectura modernista y, sobre todo, de expresión de las múltiples sabidurías artesanales que le dieron forma y brillantez. Profesionales de la escultura, del mosaico, del hierro, del yeso, de la madera, del vidrio, de la pintura o del esgrafiado aunaron sus fuerzas para transformar

Farolas
Las del paseo de Gràcia, diseñadas por Falqués, son metálicas, modernistas y con un banco cerámico en su base

Casa Amatller
Imagen del patio
interior y la escalera
principal de la Casa
Amatller, en paseo de
Gràcia

el Eixample en un conjunto de construcciones de fantasía desbordante, asentada de forma paradójica sobre una trama urbana extremadamente racional. Por todo ello, los paseos por el Eixample permiten, incluso una vez visitadas sus obras mayores, entregarse a una ocupación placentera y sorprendente como es el continuo descubrimiento del esplendor constructivo de la época, ya sea en un gran edificio o en un pequeño comercio. Balcones, capiteles, verjas, galerías, columnas, cupulinos, mosaicos, esgrafiados, cornisas, zaguanes, escaparates, escaleras o ascensores reservan a menudo pequeños tesoros para quienes saben buscarlos. Tesoros que pueden resultar insuperables en algunos interiores, auténticas cimas de las artes aplicadas, y que brillan también a pie de calle, en gran cantidad de fachadas y porterías. Es precisamente esta riqueza creadora la que hace de la Barcelona modernista una referencia singular en el panorama europeo de ciudades que vivieron un particular período de esplendor constructivo a caballo entre los siglos XIX y XX.

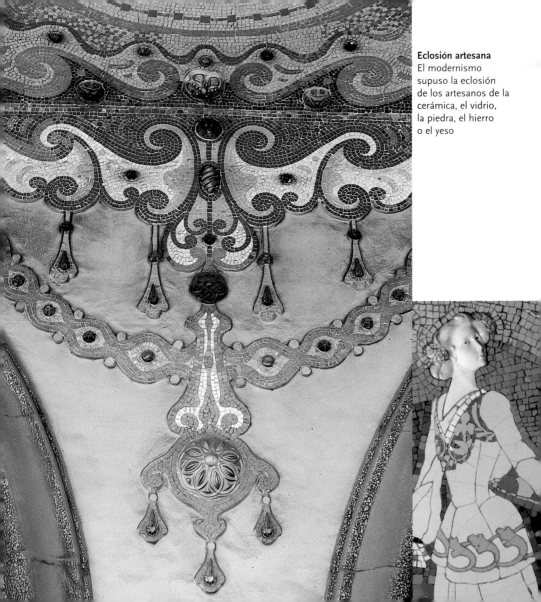

Eclosión artesana
El modernismo
supuso la eclosión
de los artesanos de la
cerámica, el vidrio,
la piedra, el hierro
o el yeso

**Manzana
de la Discordia**
La llamada Manzana
de la Discordia reúne
construcciones de los
grandes arquitectos
catalanes de inicios del
siglo XX, como son la
Casa Lleó Morera, de
Domènech i Montaner;
la Casa Amatller, de
Puig i Cadafalch;
y la Casa Batlló, de
Antoni Gaudí

Casa Lleó Morera
A la derecha, fachada
de la Casa Lleó
Morera. En la página
anterior, detalle de
las cristaleras de la
planta noble de esta
edificación, situadas
en su fachada trasera

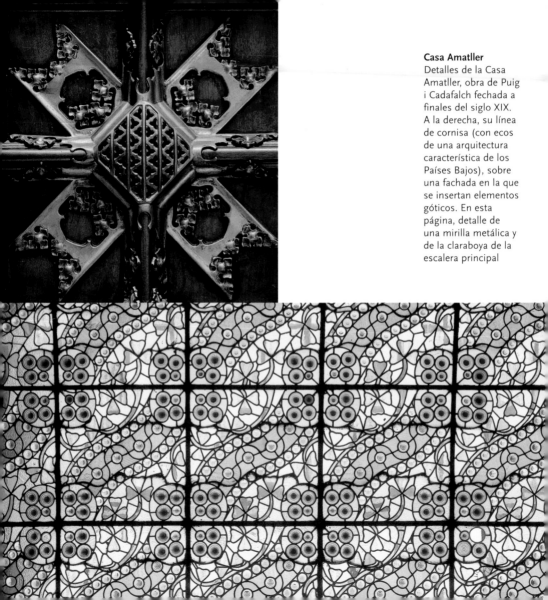

Casa Amatller
Detalles de la Casa Amatller, obra de Puig i Cadafalch fechada a finales del siglo XIX. A la derecha, su línea de cornisa (con ecos de una arquitectura característica de los Países Bajos), sobre una fachada en la que se insertan elementos góticos. En esta página, detalle de una mirilla metálica y de la claraboya de la escalera principal

Fundació Antoni Tàpies

El pintor Antoni Tàpies abrió en 1990 su fundación en la vieja editorial Montaner i Simón, un edificio de ladrillo y hierro terminado por el arquitecto Domènech i Montaner en 1885. Este centro, coronado con una escultura de su impulsor –*Núvol i cadira*– posee una de las mejores colecciones de Tàpies (pintura, escultura, dibujos, grabados y libros), cuya exhibición alterna con exposiciones temporales de otros creadores actuales. También dispone de la biblioteca del artista.

C/ Aragó, 255
Teléfono 93 487 03 15
www.fundaciotapies.org

Arco de Triunfo
Arco de ladrillo visto que daba la entrada a la Exposición Universal de 1888

Casa de les Punxes
Puig i Cadafalch construyó sobre una irregular manzada triangular del Eixample, con fachada a la Diagonal, la Casa de les Punxes (casa de las agujas), una construcción de aire neogótico, que se distingue por los afilados remates de sus torres y cornisas. Esta obra, edificada principalmente con ladrillo, presenta también interesantes trabajos en piedra

Ciclista de piedra
Relieve en la fachada del Palau Macaya

Casa Asia

Barcelona cuenta desde 2003 con la Casa Asia, un centro de información cultural y de referencia sobre Asia y el Pacífico. Instalada en el céntrico palacio Baró de Quadras, obra del arquitecto modernista Puig i Cadafalch, Casa Asia alberga exposiciones, proyecciones de cine, conferencias y cursos que brindan un espacio de encuentro entre la sociedad española y el mundo asiático. Dispone de una amplia mediateca y de espacio para desarrollar proyectos de investigación.

Avda. Diagonal, 373
Teléfono 93 368 08 36
www.casaasia.es

El Eixample es una constante explosión modernista. El paseante atento hallará reiterados motivos de goce estético en fachadas, galerías y balcones, en esgrafiados, mosaicos y carpinterías, que reflejan una época de grandes capacidades artesanales y peculiar gusto ornamental.
En la página contigua, detalles de fachada e interiores de las casas Sayrachs (Avda. Diagonal, 423), Fuster (Paseo de Gràcia, 132) y Comalat (Avda. Diagonal, 422 y C/ Còrsega, 316).
En esta página, detalles de las casas Llopis (C/ València, 339) y Planells (Avda. Diagonal, 332)

Hospital de Sant Pau

El Hospital de la Santa Creu i de Sant Pau, levantado por Lluís Domènech i Montaner entre 1913 y 1930, es una de las obras mayores del Modernismo. Ocupa el equivalente a nueve manzanas del Eixample y se compone en su proyecto original de un total de 46 pabellones autónomos, ordenados siguiendo un nuevo patrón de organización hospitalaria y urbana. El pabellón de administración, la iglesia y la casa de convalescencia se hallan entre sus elementos más destacables.

C/ Sant Antoni Maria Claret, 167-171
Teléfono 902 07 66 21
www.santpau.cat

Mariposa
Los motivos animales, como esta mariposa cerámica que remata la Casa Fajol (C/Llançà, 20), abundan en Barcelona

Jirafa
Una de las esculturas, *Coqueta*, de motivo animal, instaladas en Rambla de Catalunya. Es obra de Josep Granyer

Elefante
Detalle del esgrafiado del grupo escolar Ramon Llull (Avda. Diagonal, 269)

Parque del Escorxador
En la página contigua, la estilizada escultura *Dona i ocell*, levantada por Joan Miró en el Parc de l'Escorxador

Las calles del Eixample cuentan con comercios de distintas épocas, desde tradicionales colmados hasta tiendas de innovador diseño

Museo Egipcio
Máscara funeraria expuesta en el Museu Egipci (C/ València, 284)

La Torre Agbar se ha convertido en nuevo icono arquitectónico barcelonés, entrado el siglo XXI; su silueta es visible desde numerosas calles de una ciudad en la que se combinan antiguos y renovados establecimientos

Palau Robert
Sede del Centre d'Informació de Catalunya. Cuenta con salas de exposiones y oficina de turismo (Paseo de Gràcia, 107)

Teatre Nacional de Catalunya

El Teatro Nacional de Cataluña (TNC) fue inaugurado en noviembre de 1996 en un edificio de clara inspiración clásica, firmado por Ricardo Bofill. Dispone de 25.000 metros cuadrados de superficie y tres escenarios, con capacidad, respectivamente, para 900, 400 y 300 espectadores. Cada temporada acoge en su programación unas veinte producciones, ya sean de clásicos internacionales o locales, también de autores noveles, o bien espectáculos de danza o destinados al público infantil.

Plaza de les Arts, 1
Teléfono 93 306 57 00
www.tnc.cat

L'Auditori

El Auditorio de Barcelona abrió sus puertas en 1999. Su sede es un edificio cúbico de Rafael Moneo, con un exterior austero y unos interiores revestidos de madera, de gran calidez. La sala principal tiene capacidad para 2.200 personas, y las dos restantes para 600 y 400. En sus 42.000 metros cuadrados reúne además la Escola Superior de Música de Catalunya y el Museo de la Música. Es el escenario habitual de la Orquestra Simfònica de Barcelona y Nacional de Catalunya. Está junto al TNC.

C/ Lepant, 150
Tel. 93 247 93 00
www.auditori.cat

Las antiguas villas

Barcelona engloba en su seno varias ciudades. Desde que Cerdà proyectó el Eixample, la trama urbana central de Barcelona viene definida por su retícula uniforme de calles y manzanas, tan sólo alterada por algunas grandes avenidas como la Diagonal o el Paseo de Gràcia. Pero el Eixample, además de dar carácter a Barcelona, es también el tejido urbano que alcanza y reúne una serie de localidades preexistentes, situadas a muy pocos kilómetros de la vieja Barcelona amurallada. Todas ellas forman ya parte de Barcelona; y todas ellas mantienen, al tiempo, sus rasgos característicos. La ex villa de Gràcia, con sus calles estrechas, sus holgadas plazas y su bulliciosa población, conserva una personalidad y unas costumbres propias en el corazón de Barcelona. En la zona alta, Sarrià, Sant Gervasi y Horta exhiben distintos modos de adaptación de su pasado encanto residencial a la actual gran Barcelona, del mismo modo que lo han hecho, a lado y lado del Eixample, las antiguas localidades de Sants, Sant Martí o Sant Andreu. Mención aparte merece el caso del Poble Nou, junto al Mediterráneo, donde la transformación olímpica de 1992 y, entrado el siglo XXI, la construcción de la zona Fòrum y del nuevo distrito tecnológico del 22@ han sustituido el viejo tejido fabril por un imponente *downton* barcelonés.

Plaza Rius i Taulet
La tupida trama urbana
de la ex villa de Gràcia
abre uno de sus
mayores claros en la
plaza Rius i Taulet

El "campanario de Gràcia"

Con sus 33 metros de altura, la robusta torre del reloj, conocida popularmente como el "campanario de Gràcia" preside la plaza Rius i Taulet, en el corazón de Gràcia

Biblioteca Jaume Fuster

La oferta cultural de Gràcia se ha visto incrementada con la Biblioteca Jaume Fuster, en Lesseps

Terrazas

Las plazas de este barrio, equipadas con terrazas de bar, son un punto de encuentro y reunión entre los vecinos y visitantes del barrio

Plaza de Sarrià
El templo de Sant Vicenç, de corte neoclásico y campanario octogonal, preside la plaza de Sarrià

Laberinto de Horta
En la antigua finca
de los marqueses
de Llupià se alza el
laberinto de Horta,
formado con cipreses

Poblenou

La continua transformación de Barcelona persigue la renovación de sus instalaciones sin perder el carácter de cada uno de sus rincones. Un ejemplo de esta política es Can Felipa, antigua fábrica transformada en piscina, centro deportivo y viviendas

22@

Imagen de la zona de Poblenou conocida como 22@, en la que Barcelona construye su distrito tecnológico

Parque de la España Industrial

Vista de este parque que ocupó los terrenos de una vieja instalación fabril en Sants

Museu Monestir de Pedralbes

El monasterio de Pedralbes, en la zona alta de Barcelona, alberga a una comunidad religiosa desde 1327. Su sede es uno de los mejores ejemplos del gótico catalán, y se compone de iglesia, residencia monástica y un hermoso claustro de tres plantas. El Museo-Monasterio fue abierto en 1983, y guarda colecciones de pintura, cerámica, mobiliario, orfebrería, objetos litúrgicos, etcétera.

Baixada del Monestir, 9
Teléfono 93 203 92 82
www.museuhistoria.
bcn.cat

Museu del F.C. Barcelona

La mejor inmersión posible en el mundo del Barça consiste en asistir a uno de sus partidos. Pero, desde 1984, el Fútbol Club Barcelona ofrece otra opción: una visita a su museo, en las instalaciones del Camp Nou. Más de un millón de personas acuden cada año a este museo, de 3.500 metros cuadrados, donde se exhibe la colección histórica de trofeos, imágenes y material deportivo del club, junto a otros fondos y a muestras temporales.

Avda. Maillol, s/n
Teléfono 93 496 36 00
www.fcbarcelona.com

Montjuïc

9

La montaña de Montjuïc, que cierra Barcelona en su extremo sur, ha sido el escenario de grandes desafíos y celebraciones colectivas. Algunas extraordinarias, y capaces de abrir nuevos horizontes para la ciudad, como la Exposición Internacional de 1929 o los Juegos Olímpicos de 1992. Otras habituales, más bulliciosas y desinhibidas, como la anual clausura de las fiestas patronales de la Mercè. Montjuïc abriga el puerto marítimo y constituye la posición natural de defensa de la ciudad. Esa fue su función principal hasta que, con vistas a la Exposición Internacional de 1929, la montaña fue sometida a una primera urbanización, que dejó sobre su piel pabellones de arquitectura academicista (con excepciones como el visionario edificio de Mies van der Rohe), el Pueblo Español (un resumen de la arquitectura vernácula española), avenidas sinuosas y jardines románticos. El segundo gran esfuerzo urbanizador se desarrolló para los Juegos Olímpicos de 1992. Su huella más visible es el Anillo Olímpico, una explanada de corte y simetría clásicos, jalonada por diversas instalaciones deportivas, como el Palau Sant Jordi (obra de Arata Isozaki) cuya cubierta recuerda vagamente el caparazón de una tortuga, las piscinas olímpicas (Gallego/Fernández), una universidad del deporte (Bofill) y el viejo estadio olímpico (totalmente remozado por Correa/Milà/Gregotti). Fue en este estadio donde el 25 de julio de 1992, poco después de anochecer, una flecha de fuego surcó el cielo. Cientos de millones de telespectadores contuvieron la respiración, hasta que la antorcha voladora encendió la llama que daba inicio a los Juegos Olímpicos y, al tiempo, iluminaba una nueva Barcelona, amorosamente reconstruida para la ocasión.

Palau Nacional
La sede del Museo Nacional de Arte de Cataluña. En primer término, las fuentes de Montjuïc

Montjuïc
Vista vespertina y de conjunto de la montaña de Montjuïc, defensa natural de la ciudad de Barcelona

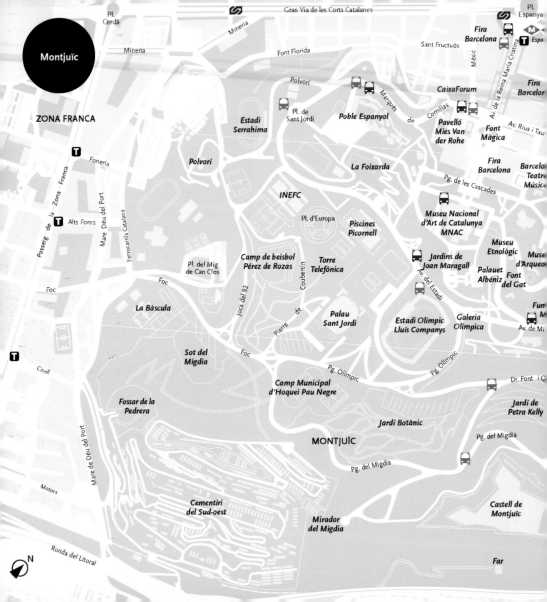

Montjuïc

Pl. Cerdà
Gran Via de les Corts Catalanes
Pl. Espanya
Mineria
Mineria
Mineria
Font Florida
Font Florida
Sant Fructuós
Fira Barcelona
Espa
Mèxic
Av. de la Reina Maria Cristina
Polvorí
CaixaForum
Fira Barcelo
ZONA FRANCA
Estadi Serrahima
Pl. de Sant Jordi
Poble Espanyol
Comillas
Pavelló Mies Van der Rohe
Font Màgica
Av. Rius i Tau
Foneria
Polvorí
La Foixarda
Fira Barcelona
Pg. de les Cascades
Barcelo Teatre Músic
Alts Forns
INEFC
Pl. d'Europa
Piscines Picornell
Museu Nacional d'Art de Catalunya MNAC
Museu Etnològic
Muse d'Arqueo
Pl. del Mig de Can Clos
Camp de beisbol Pérez de Rozas
Torre Telefònica
Jardins de Joan Maragall
Palauet Albéniz
Font del Gat
Foc
Foc
La Bàscula
Jocs del 92
Coubertin
Pierre de
Palau Sant Jordi
Estadi Olímpic Lluís Companys
Av. de l'Estadi
Galeria Olímpica
Fun M
Av. de Mi
Cisell
Sot del Migdia
Foc
Fossar de la Pedrera
Camp Municipal d'Hoquei Pau Negre
Pg. Olímpic
Pg. Olímpic
Dr. Font i Q
Jardí de Petra Kelly
Mare de Déu del Port
Jardí Botànic
MONTJUÏC
Pg. del Migdia
Pg. del Migdia
Motors
Cementiri del Sud-oest
Mirador del Migdia
Castell de Montjuïc
Ronda del Litoral
N
Far

Montjuïc, la montaña mágica. Además de los usos feriales y

deportivos, desarrollados en los pabellones de 1929 y en las instalaciones de 1992, Montjuïc tiene en la cultura y el ocio sus dos principales ejes de actividad. En esta montaña han instalado su sede algunos de los más interesantes museos de la ciudad, como son el Museo Nacional de Arte de Cataluña (MNAC), la Fundació Miró o CaixaForum, a los que se dedica atención particular en las próximas páginas. Y también otros como el Museo Etnológico, el Museo Arqueológico o la Fundació Fran Daurel. El teatro dispone en la zona de diversos escenarios, empezando por el Grec, un anfiteatro de hechuras clásicas, al aire libre, en el que Barcelona celebra su festival de verano; y siguiendo con el Lliure o el Mercat de les Flors, espacios para las artes escénicas contemporáneas, con especial atención al ámbito de la dramaturgia y de la danza. La música, en especial la de público masivo, popular, halla frecuente acomodo en instalaciones como el Pueblo Español, el estadio olímpico, el Palau Sant Jordi o el Sot del Migdia.

Palau Nacional
La sede del MNAC es la construcción más característica de Montjuïc, junto al castillo y el anillo olímpico

Font del Gat
Pieza de forja en la sede del Centre Gestor del Parc de Montjuïc, en el corazón de los jardines Laribal

Estas celebraciones colectivas conocen su explosión más ruidosa a finales de septiembre, con ocasión de las últimas fiestas ciudadanas de la Mercè, que reúnen a auténticas multitudes bajo el cielo estrellado, e iluminado también por los fuegos artificiales, los haces de luz que coronan el Palau Nacional y los juegos de luces de las fuentes mágicas... Quienes busquen sosiego también lo hallarán en Montjuïc, en cotas superiores, donde el arquitecto Carlos Ferrater ha diseñado un Jardín Botánico siguiendo la lógica de los fractales. Más arriba, en lo alto de la montaña, se sitúa el Castillo de Montjuïc, un fabuloso mirador sobre las aguas del puerto, con los jardines Costa i Llobera a sus pies.

Torres venecianas
Forman el pórtico de acceso al recinto ferial de Montjuïc, integrado por numerosos pabellones

Fuente Mágica
Obra del ingeniero Carles Buigas, esta fuente ofrece un singular espectáculo basado en el agua y la luz

Plaza de España
Presidida por una gran fuente, obra de Jujol, la plaza de España reúne construcciones de diverso tipo

Museo Nacional de Arte de Cataluña

El MNAC es el buque insignia del arte catalán. Propone un recorrido por un milenio de expresión creativa. Su colección de pintura mural románica es única en el mundo: fue formada a principios del siglo XX mediante una acertada operación de rescate efectuada en iglesias pirenaicas. Es notable también su colección de arte gótico, seguida de una panorámica histórica que se prolonga hasta la mitad del XX, y se complementa con un programa de muestras temporales. Dotado de excelentes vistas sobre Barcelona, el Palau Nacional cuenta también con la Sala Oval, un espacio de grandiosa volumetría para celebraciones ciudadanas.

Palau Nacional
Parc de Montjuïc
Teléfono 93 622 03 76
www.mnac.cat

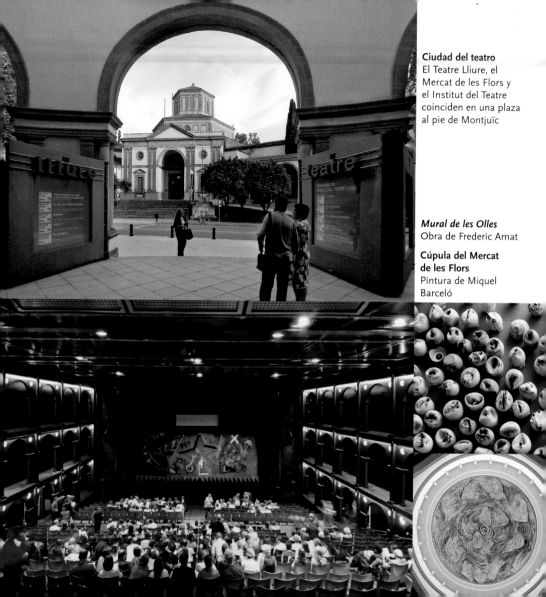

Ciudad del teatro
El Teatre Lliure, el
Mercat de les Flors y
el Institut del Teatre
coinciden en una plaza
al pie de Montjuïc

Mural de les Olles
Obra de Frederic Amat

**Cúpula del Mercat
de les Flors**
Pintura de Miquel
Barceló

Pabellón Mies van der Rohe
El arquitecto alemán levantó en Barcelona en 1929 esta obra, considerada como un manifiesto de la arquitectura moderna.

Mañana
Escultura de Georg Kolbe

Escaleras mecánicas
Una de la numerosas escaleras mecánicas que facilitan la ascensión a Montjuïc

Miquel Barceló, VEGAP, rcelona 2007

CaixaForum

CaixaForum es una de las últimas incorporaciones al tejido museístico de Barcelona. Este centro de exposiciones impulsado por la Fundació la Caixa se ubica en la antigua Fábrica Casaramona, uno de los principales ejemplos del Modernismo industrial, proyectada por Puig i Cadafalch, ahora habilitada para sus nuevas funciones culturales. CaixaForum, situado frente al pabellón alemán de la Exposición de 1929, obra de Mies van der Rohe, organiza regularmente distintas actividades plásticas, musicales o literarias. Abierto de martes a domingo, de 10 a 20 horas. Entrada libre.

Avda. Marqués de Comillas, 6-8
Teléfono 93 476 86 00
www.lacaixa.es/obrasocial

Teatre Grec
Al llegar el verano,
Barcelona inaugura
su festival teatral, que
tiene lugar al aire libre
en el Teatre Grec

Las tres gracias

Museo Arqueológico
Sus colecciones íberas,
griegas, cartaginesas
y romanas se guardan
en un edificio de corte
florentino

El Poble Espanyol

El Pueblo Español de Barcelona es un museo de la arquitectura popular española, construido con motivo de la Exposición Internacional de 1929, donde se reproducen 117 edificios, calles y plazas de distintas regiones españolas, acertadamente ensamblados sobre una superficie cercana a los 50.000 metros cuadrados. Esta obra, impulsada por Puig i Cadafalch, dirigida por el crítico Utrillo y el pintor Nogués, y realizada por los arquitectos Folguera y Reventós, fue levantada con carácter efímero, pero ha permanecido hasta nuestros días.

Avda. Marquès de Comillas, 6-8
Teléfono 93 476 86 00.
www.poble-espanyol.
com

Anillo Olímpico
El principal escenario
de los Juegos
Olímpicos de 1992,
diseñado por Buxadé/
Correa/Margarit/Milà,
reúne, entre otras
construcciones, el
Estadio Olímpico
–al fondo–;
las Piscinas Picornell
–a la izquierda–;
el Palau Sant Jordi;
y la Torre de
Telecomunicaciones
de Santiago Calatrava,
junto a la plaza de
Europa

Palau Sant Jordi
Obra del japonés Arata Isozaki, es la gran instalación cubierta del anillo olímpico

Estadio Olímpico
Reconstruido por Correa/Milà/Gregotti, fue el escenario mayor de los Juegos de 1992

Piscinas Picornell
Fernández/Gallego remodelaron estas piscinas con vistas a los Juegos de 1992

Pebetero olímpico

INEFC
Un edificio neoclásico de Ricardo Bofill alberga la sede de la escuela de educación física

Jardín Botánico
En lo alto de Montjuïc, Carlos Ferrater ha diseñado un nuevo jardín cuya trama se inspira en la teoría de los fractales

Palacete Albéniz
Construido por Juan Moya, tras el Museo Nacional de Arte de Cataluña, en 1929

Sant Jordi
de Josep Llimona

Museo de Etnología
Esta ventana a otras civilizaciones, reúne miles de piezas procedentes de América Latina, África o Asia

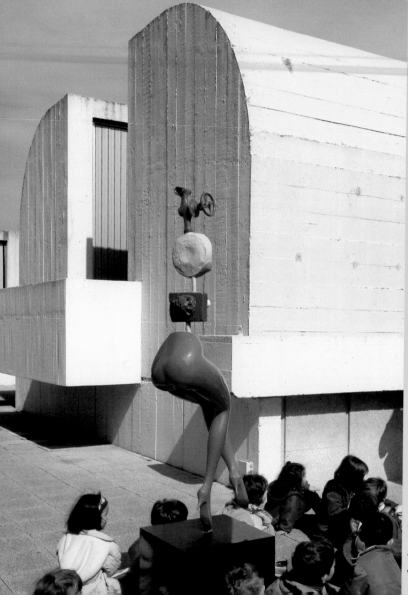

Fundació Miró

Joan Miró, pintor barcelonés y figura legendaria del surrealismo, propició la creación de esta entidad privada con dos objetivos centrales: conservar y exhibir una parte muy significativa de su obra y estimular la labor de los jóvenes creadores. Instalada en un edificio de acentos mediterráneos, construido con hormigón claro por el arquitecto Josep Lluís Sert, la Fundació Miró es un recinto luminoso, rodeado de árboles y esculturas, en el que el ajetreo ciudadano parece detenerse. En sus salas se exhiben pinturas, esculturas, tapices y cerámicas de todos los períodos mironianos, así como muestras temporales de otras figuras del arte. De martes a sábado de 10 a 19 h; domingos de 10 a 14,30 h.

Parc de Montjuïc, s/n
Teléfono 93 443 94 70
www.bcn.fjmiro. cat

Castillo de Montjuïc

El primer castillo de Montjuïc, en lo más alto de la montaña homónima, data del XVII. Volado en el XVIII y reconstruido, es una fortaleza de forma estrellada. Aloja el Museo del Ejército

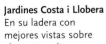

Jardines Costa i Llobera

En su ladera con mejores vistas sobre el puerto y el mar, Montjuïc exhibe este jardín de cáctus y plantas carnosas

El Aéreo y el Funicular de Montjuïc
Estos dos transportes facilitan la ascensión hasta los altos de Montjuïc

Mirador del alcalde
Este rincón ofrece algunas de las mejores vistas barcelonesas sobre la ciudad y el Mediterráneo. Algunos elementos de su pavimento son obra de Joan Josep Tharrats

Sardana
La tradicional danza catalana tiene su monumento en Montjuïc, a escasa distancia del castillo

Collserola

El parque de Collserola es una masa forestal de 8.000 hectáreas. Situado entre los ríos Besós y Llobregat, protege a Barcelona, limita su crecimiento hacia el interior y la separa de la comarca del Vallès. Los pinos, también las encinas y los robles, dan vida al tapiz vegetal de esta primera cadena junto al litoral; también abundan las zonas de matorral y de cultivo. Su fauna es la propia del bosque mediterráneo, e incluye conejos, jabalíes y aves rapaces. En su vertiente barcelonesa, Collserola constituye un inmenso mirador sobre la ciudad. En este sentido, el Parque de Atracciones del Tibidabo, construido en 1899 en la cota más alta de Collserola (512 m), ofrece un observatorio privilegiado. Con vistas de 360 grados, permite asomarse tanto a la ciudad y el mar como a las tierras del Vallès. Desde 1992, la Torre de Telecomunicaciones de Collserola (con sus 268 m de altura), plantada por Norman Foster a poca distancia del Tibidabo, posee el mirador más elevado. Una parte minoritaria de Collserola ha sido urbanizada, pero desde 1987 el parque está protegido al objeto de conservar sus recursos naturales, su equilibrio ecológico y, a la vez, permitir su disfrute ciudadano. Además del Tibidabo y de la Torre de Telecomunicaciones, el parque engloba otras instalaciones, desde el observatorio meteorológico y astronómico Fabra hasta distintos museos, como el dedicado al poeta Verdaguer. Son atractivos traídos por la mano del hombre. Pero si no existieran, los barceloneses seguirían yendo a Collserola para oxigenarse, pasear y contemplar su ciudad.

Observatorio Fabra
Instalación científica
centenaria dedicada
a los estudios
meteorológicos,
astronómicos
y sísmicos

**Parque de Atracciones
del Tibidabo**
Un escenario habitual
de la educación
sentimental de
generaciones
de barceloneses

Collserola.

En cualquier estación del año, también durante los meses invernales, los barceloneses aprovechan sus momentos de ocio para subir a Collserola y pasear a pie, en bicicleta o a caballo. La más característica ruta de acceso al parque desde la ciudad es la que cubre el tranvía azul, un venerable transporte público, establecido en 1901, que parte de plaza Kennedy. A mitad de su recorrido, el tranvía cruza las rondas, el anillo viario que rodea Barcelona y discurre en sus cotas superiores por el límite entre la ciudad y Collserola; en esta franja, se halla la Vall d'Hebron, sede de una zona olímpica, con interesantes esculturas, como las monumentales *Cerillas* de Oldenburg... El tranvía azul concluye su recorrido cerca de la carretera de las Aigües —un espléndido paseo sin desniveles apreciables que abraza toda la vertiente barcelonesa de Collserola, a media altura— y permite un transbordo al funicular que sube hasta el Tibidabo. Este parque, presidido por un templo dedicado al Sagrado Corazón, cuenta con 30

Tranvía azul
Desde 1901, acerca a los barceloneses al parque de atracciones del Tibidabo

Jardines del Velódromo
Escultura de Joan Brossa en las inmediaciones del velódromo

Torre de Collserola
La esbelta edificación de telecomunicaciones, obra de Sir Norman Foster

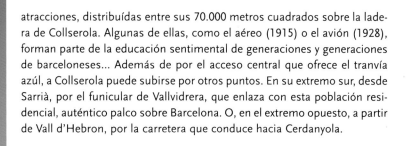

atracciones, distribuídas entre sus 70.000 metros cuadrados sobre la ladera de Collserola. Algunas de ellas, como el aéreo (1915) o el avión (1928), forman parte de la educación sentimental de generaciones y generaciones de barceloneses... Además de por el acceso central que ofrece el tranvía azúl, a Collserola puede subirse por otros puntos. En su extremo sur, desde Sarrià, por el funicular de Vallvidrera, que enlaza con esta población residencial, auténtico palco sobre Barcelona. O, en el extremo opuesto, a partir de Vall d'Hebron, por la carretera que conduce hacia Cerdanyola.

Cerillas, de Claes Oldenburg

materia

a, un estado de la materia
rte de sus electrones. Para
y baja presión y hemos
duce pequeñas descargas
a, los electrones libres son
r conductor de electricidad
e las descargas. El estado
temperaturas, como las
ramos gases en forma de
luces de neón.

a state of matter in which the
make the plasma, the gas is held
is applied to it to produce small
e of the ball, the free electrons
etter electricity conductor than
ed. Plasma states are usual in
d fire. We also find gases in
on lights.

CosmoCaixa

El gran museo de la
ciencia de Barcelona
se llama CosmoCaixa
y está en la ladera
de Collserola. Reúne
distintas instalaciones,
entre las que
destacan, por su
espectacularidad, un
bosque amazónico
inundado (donde
se reproduce el
universo animal y
vegetal selvático), un
muro geológico, un
planetario o la llamada
sala de la materia.
CosmoCaixa abre de
martes a domingo y
de 10 a 20 horas.

c/ Teodor Roviralta,
47-51
Teléfono 93 212 60 50
www.cosmocaixa.com

Parque del Tibidabo
Vista nocturna
de conjunto. Abajo,
el avión, una de
sus atracciones
características

Hotel La Florida

**Iglesia del
Sagrado Corazón**
Templo situado en
la cota más alta del
parque del Tibidabo

Arquitectura contemporánea

Barcelona —la ciudad de Gaudí— y la arquitectura mantienen una vieja historia de amor, que sigue dando vistosos frutos. Entre los más recientes, ya entrado el siglo XXI, cabe mencionar la Torre Agbar, construcción de planta circular y forma ahusada, cuya cambiante piel multicolor ofrece en horas nocturnas un espectáculo luminoso; la ha proyectado el francés Jean Nouvel. Otra obra no menos colorista es la reforma de Santa Caterina, en el corazón del casco antiguo; Miralles/Tagliabue coronaron este mercado con una cubierta cerámica ondulante, en la que brillan todos los tonos de un puesto de hortalizas y verduras. Los mismos autores firman la nueva sede de Gas Natural, a medio camino entre la Barceloneta y Villa Olímpica, un edificio de volumetría descompuesta.

Arquitectos extranjeros y locales han contribuído a esta constante renovación, iniciada en los albores de la modernidad por Mies van der Rohe (con su pabellón alemán de 1929) o Sert. Una renovación que ha acabado definiendo nuevas áreas de la ciudad. Es el caso de la zona donde se celebró el Fòrum 2004, con construcciones como el Edificio Fòrum de Herzog y De Meuron, con su volumen triangular; o el enorme Centro de Convenciones Internacional de Barcelona, obra de Josep Lluís Mateo; o la imponente placa fotovoltaica de Torres/Lapeña. Y también es el caso de la Villa Olímpica, un barrio proyectado por los mejores arquitectos catalanes de la segunda mitad del siglo XX, rematado con dos rascacielos y con obras de Siza y de Gehry... No son éstas las únicas arquitecturas contemporáneas de interés que ofrece Barcelona... ni serán las últimas.

Edificio Fòrum
Detalle del revestimiento del edificio Fòrum, obra de Herzog & de Meuron

Mercado de Santa Caterina
Detalle del techo cerámico y multicolor de esta obra de Miralles y Tagliabue

**Pabellón
Mies van der Rohe**
Representó a Alemania
en la Exposición
Internacional de 1929

**Pabellón
de la República**
Obra de Sert y Lacasa,
representó a España
en París en 1937 y
fue reconstruido en
Barcelona en 1992

Fundació Miró
Excelente muestra
de la arquitectura
mediterránea de Sert,
alberga parte del
legado Miró

**Viviendas en
Muntaner/Ubach**
Una de las obras
fundacionales
del racionalismo
barcelonés, debida
a Sert

Joyería Roca
Otra obra de
Josep Lluís Sert, ésta
en Paseo de Gràcia,
esquina con Gran Vía

Edificios Trade
Cuatro torres de cristal negro y perímetro ondulante, firmadas por Coderch de Sentmenat

Facultad de Arquitectura
La ampliación de este centro universitario fue la obra postrera de Coderch de Sentmenat

BancSabadell
En la confluencia de Balmes con Diagonal, Francesc Mitjans edificó este bloque de una veintena de plantas

Torre Colón
Rascacielos de Josep Anglada, Daniel Gelabert y Josep Ribas, terminado en 1971 muy cerca del monumento a Colón, en el extremo marítimo de la Rambla

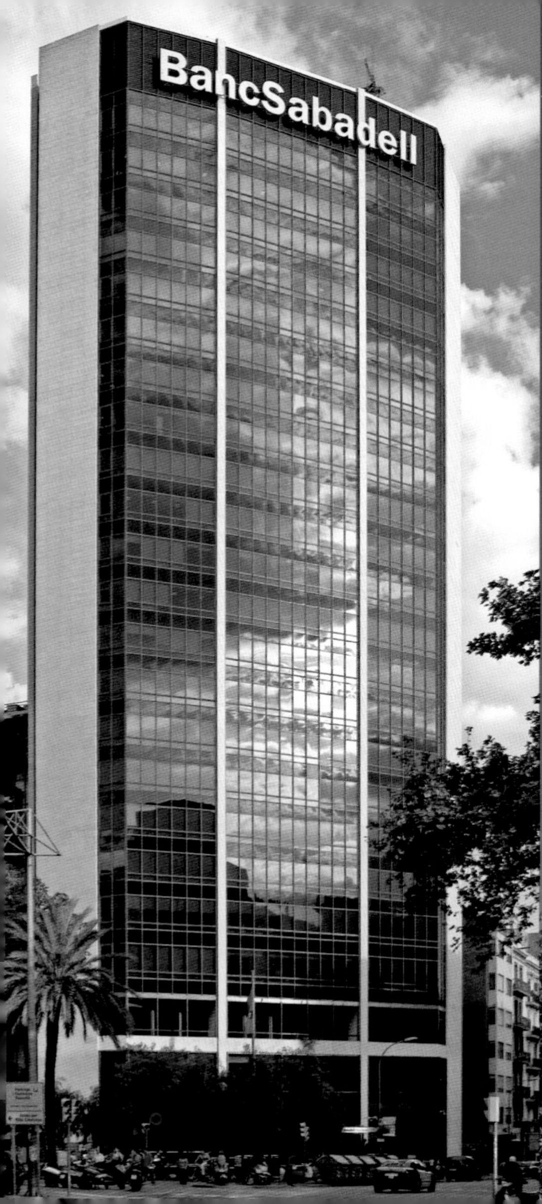
BancSabadell

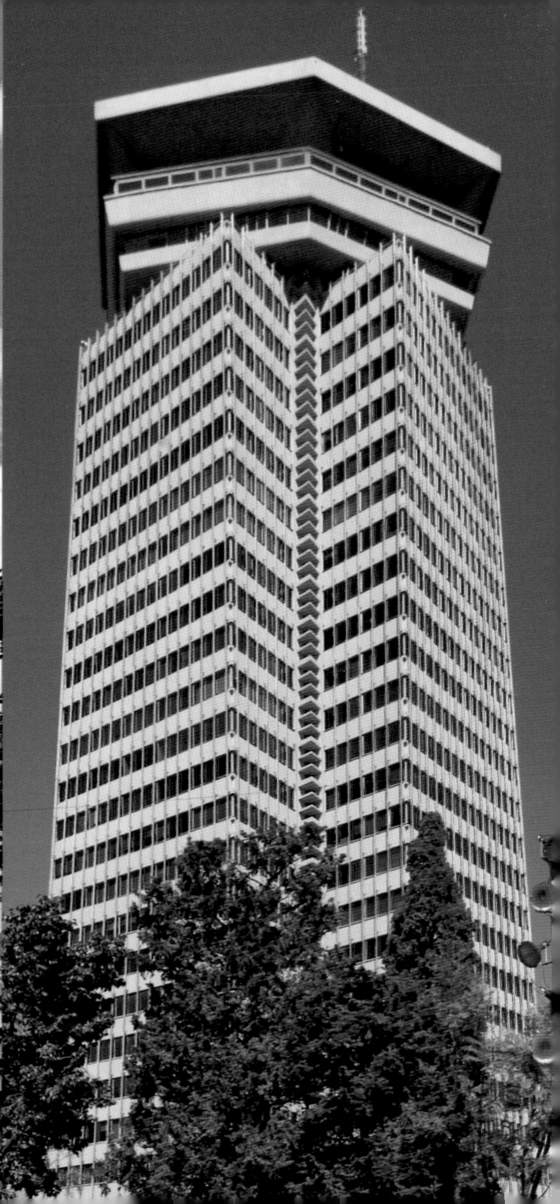

Hotel Arts
Una de las dos grandes torres de Villa Olímpica, obra de Bruce Graham (Skidmore, Owings and-Merrill)

Torre de Telecomunicaciones de Collserola
Sir Norman Foster diseñó esta espectacular construcción que preside Barcelona

Torre de Telecomunicaciones de Montjuïc
Telefónica encargó su propia torre a Santiago Calatrava, en el anillo olímpico de Montjuïc

L'Illa Diagonal
Se la conoce como
"el rascacielos
acostado", y lleva la
firma de Rafael Moneo
y Manuel de Solà-
Morales

Palau Sant Jordi
La cubierta de este
pabellón olímpico,
obra de Arata Isozaki,
evoca el caparazón de
una tortuga

Pez
Frank Gehry diseñó
este espectacular pez
para el jardín del hotel
Arts, antes que el
Guggenheim de Bilbao

Fort Pienc
Detalle del pequeño
conjunto ciudadano
construido por
Josep Antoni Llinàs
en Fort Pienc

Hilton Diagonal Mar
Proyectado por Óscar
Tusquets en la Zona
Forum

**Biblioteca
Jaume Fuster**
Otra obra destacada
de Josep Antoni Llinàs,
ésta situada en la plaza
Lesseps

World Trade Center
Junto al puerto y el
mar, Henry Cobb
construyó este potente
centro de oficinas

El Corte Inglés
Los grandes almacenes
encargaron a
Lapeña/Torres y MBM
sus fachadas a plaza
de Catalunya

Edificio Fòrum
Construcción triangular, con piel rugosa y azul, de Herzog & de Meuron

Centro de Convenciones Internacional de Barcelona
Obra de J. Ll. Mateo

Placa fotovoltaica
Construcción de Lapeña/Torres en la explanada del Fòrum

Hotel Princess Barcelona
Obra de Óscar Tusquets

Mercado de Santa Caterina
Con su espectacular cubierta cerámica. Es obra de Miralles y Tagliabue

Parc de Recerca Biomèdica de Barcelona
Obra de Manuel Brullet, revestida de madera, frente al mar

Torre Marenostrum
Rascacielos en varios cuerpos proyectado por Miralles y Tagliabue

Torre Agbar
Jean Nouvel ha diseñado uno de los edificios característicos de la nueva Barcelona, de forma ahusada y con un colorido nocturno cambiante

Hotel Hesperia Tower
Camino del aeropuerto de Barcelona se alza esta torre proyectada por Richard Rogers

Fiestas

Barcelona es una ciudad de incontables fiestas callejeras. La cultura asociativa y participativa de los barceloneses, acompañada por un clima mediterráneo, así lo ha propiciado. Algunas fiestas, como las del *Correfoc*, remiten a costumbres ancestrales, a ritos paganos relacionados con el sol y el fuego. Otras, como las protagonizadas por gigantes y cabezudos, se entroncan con la historia y las tradiciones de la sociedad local. Los *castells* —las torres humanas— y las sardanas —la danza típica catalana, que se baila con las manos entrelazadas— reflejan laboriosidad, método, espíritu de colaboración y concordia. Las veraniegas fiestas de barrio dan rienda suelta al bullicio y las ganas de diversión. En Barcelona hay fiestas en la calle todo el año, empezando por la cabalgata de Reyes (5 de enero) y el carnaval (febrero), y siguiendo por Santa Eulàlia (12 de febrero) o Sant Jordi (23 de abril, con su espectacular despliegue de libros y rosas). Pero es en la segunda mitad de septiembre cuando Barcelona vive su fiesta mayor —las fiestas de la Mercè—, dedicada a la santa patrona: una explosión popular de sabor mediterráneo, en la que se alternan pasacalles, conciertos multitudinarios y un fantástico piromusical que revoluciona la noche barcelonesa con fuegos artificiales y sonidos... A todos estos festejos, de raigambre tradicional y acento barcelonés, se han ido sumando otros de nuevo cuño y base global, como son el festival Sònar de música avanzada, garantía de futuro y proyección para el espíritu festivo de la ciudad.

Fiestas de la Mercè
El fuego y los gigantes, dos elementos típicos de las fiestas barcelonesas

Bestiario
Leones, rapaces, burros, toros, loros... distintas expresiones del bestiario festivo barcelonés

Cabezudos
El "capgros" –cabezudo– es el compañero habitual de los gigantes en los desfiles festivos

Gigantes
Como buena parte
de las ciudades y de
los pueblos catalanes,
Barcelona tiene
su propia corte de
gigantes, protagonistas
de desfiles populares
y participantes en sus
fiestas

Castells
El espíritu asociativo,
laborioso y osado de
los catalanes halla
una de sus mejores
plasmaciones en los
castells, las torres
humanas

Feria de Santa Llúcia
Los alrededores de la catedral acogen, en vísperas navideñas, la feria de Santa Llúcia

Concurso de sardanas
La danza típica catalana se prodiga en los días festivos en la plaza de la Catedral

Fiestas de Gràcia
En la primera mitad de agosto, Gràcia engalana las calles para celebrar sus fiestas populares

Doble página siguiente

Correfoc
El fuego y las tradiciones son elementos centrales en las fiestas callejeras del *correfoc*

Cerca de Barcelona

En un radio de 100 km, Barcelona reúne una variada oferta turística. Al norte están la renovada ciudad de Girona, y la Costa Brava, de paisaje agreste y clima suave, con sus museos dalinianos. Al sur, Sitges, los viñedos del Penedès y la milenaria Tarragona. Y, hacia el Oeste, en el corazón de Catalunya, la montaña de Montserrat.

Edición
Triangle Postals SL

Texto
© Llàtzer Moix

Fotografías
© Pere Vivas
© Ricard Pla (p. 25, 27, 37, 48a, 49, 51, 64f, 66, 72d,
101, 142a, 225, 230b, 231, 234ab); Biel Puig (p. 36, 39,
50e, 61, 72b, 107a, 172, 188b, 200b); Joan Colomer
(p. 194b, 195a, 197a, 200a, 201); Jordi Puig (p. 170d,
238, 239c); Caterina Barjau (p. 70bc); Juanjo Puente/
Pere Vivas (p. 74b, 117c); Mercè Camerino (p. 228b);
Antonio Martínez (p. 235); Aina Pla (p. 64d); Ramon Pla
(p. 50b); Jordi Todó (p. 173a)
© Casa Batlló/P. Vivas/R. Pla (p. 96, 97, 98, 99, 100, 101)
© P. Vivas / Junta Constructora del Temple de la
Sagrada Família (p. 108, 109, 110, 111, 112, 113)

Dirección de arte
Ricard Pla

Diseño
Joan Colomer

Maquetación
Mercè Camerino, Aina Pla

Producción
Imma Planas

Impresión
Igol, S.A.

Depósito legal
B-50007-2007

ISBN
978-84-8478-315-2

Triangle Postals SL
Pere Tudurí, 8
07710 Sant Lluís, Menorca
Tel. 34 971 15 04 51
Fax 34 971 15 18 36
www.triangle.cat
triangle@infotelecom.es

Agradecimientos:
Ajuntament de Barcelona
Biblioteca de Catalunya
Cambra de Comerç, de la Indústria i de Navegació
de Barcelona
Casa Àsia
Casa Amatller
Centre de Cultura Contemporània de Barcelona
Col·legi de les Teresianes
Consorci de la Colònia Güell
Diputació de Barcelona
Família Herrero, Casa Vicens
Fundació Antoni Tàpies
Fundació Caixa Catalunya
Fundació Joan Miró
Fundació "la Caixa"
Fundació Mies van der Rohe
Generalitat de Catalunya
Gran Teatre del Liceu
Herboristeria del Rei
Hospital de la Santa Creu i de Sant Pau
L'Auditori
Museu Barbier-Müller
Museu d'Art Contemporani de Barcelona
Museu d'Història de Catalunya
Museu d'Història de la Ciutat de Barcelona
Museu Egipci
Museu Marítim
Museu Nacional d'Art de Catalunya
Museu Picasso de Barcelona
Palau de la Música Catalana
Teatre Nacional de Catalunya